D1415502
MATIN
SOIR

Réalisation des modèles : **Isabelle de la Taille**
Textes : **Marie-Anne Le Pezennec** et **Hélène Lafarie**
Photographies : **Matthieu Prier** et **Fanny Bruno**

SOLAR

Sommaire

Savoir-faire

6

POUR LES PARENTS

18

Tapis de jeu, draps et serviette de plage...

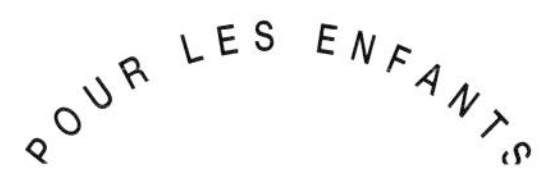

36

Courtepointe, poupée et draps chiffrés...

POUR LA MAISON

54

Abat-jour, coussins et store à volants...

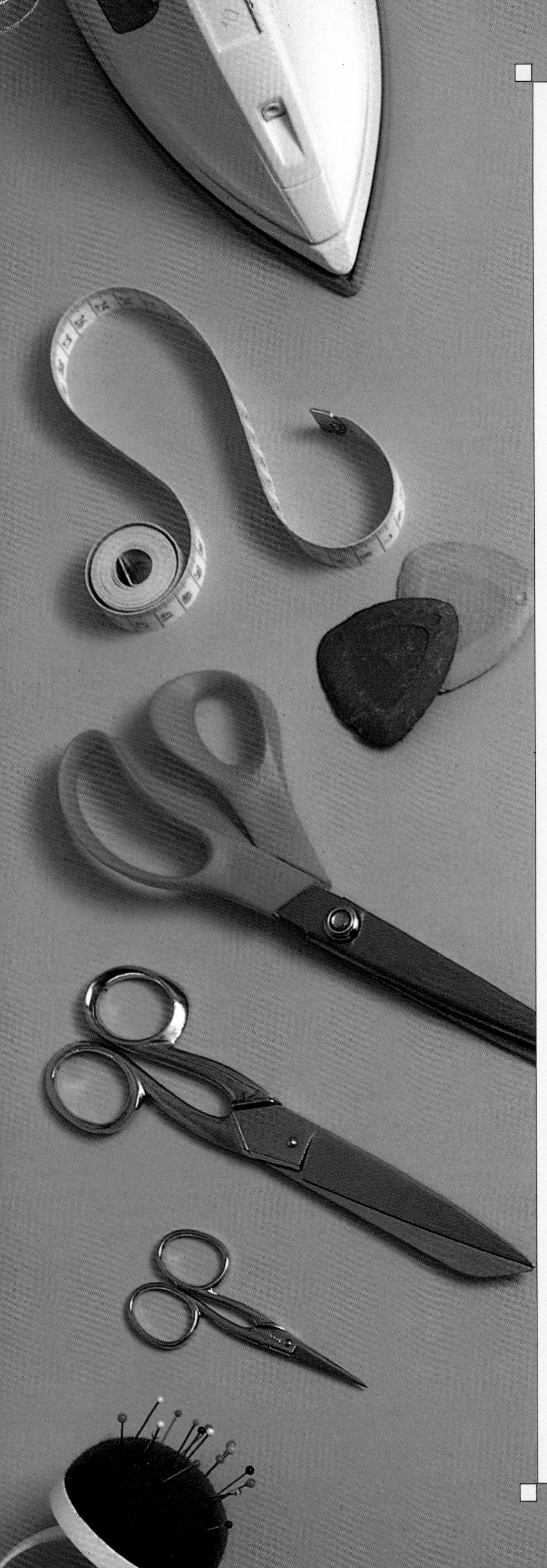

Le matériel de base pour la couture

Avant de commencer un ouvrage, vous devez avoir sous la main quelques instruments indispensables.

• Un fer à repasser à vapeur. En couture, le repassage est essentiel, soit pour préparer les coutures, soit pour repasser les piqûres. Lorsque vous cousez, votre planche à repasser doit être toujours prête à servir.

• Un mètre-ruban pour prendre les mesures nécessaires. Pour certains ouvrages, il peut également être pratique d'utiliser une règle plate en fer de 50 centimètres de long.

• De la craie de couturière pour marquer les contours des patrons et tracer des repères sur le tissu. La craie de couturière existe en plusieurs couleurs, ce qui permet de repérer les marques quel que soit le coloris du tissu. Elle disparaît totalement au premier lavage.

• Des ciseaux. L' idéal, si vous faites régulièrement de la couture, est de vous offrir une paire de très bons ciseaux de 20 centimètres. Ne les utilisez que pour couper du tissu. Il vous faudra aussi une paire de petits ciseaux ordinaires pour couper les fils et faire les petites finitions.
Des ciseaux à cranter sont également utiles pour cranter le tissu le long des coutures, avant de les surfiler, et obtenir ainsi une finition impeccable.

• Des épingles fines et éventuellement des épingles à têtes de couleur, plus facilement repérables dans les tissus à motifs. Prenez l'habitude de toujours piquer les épingles dans une pelote ou dans un coussin à épingles. Conservez-les à l'abri de l'humidité, car les épingles rouillées sont inutilisables.

Ce matériel de base n'est pas cité à nouveau dans les listes de fournitures nécessaires à chaque réalisation.

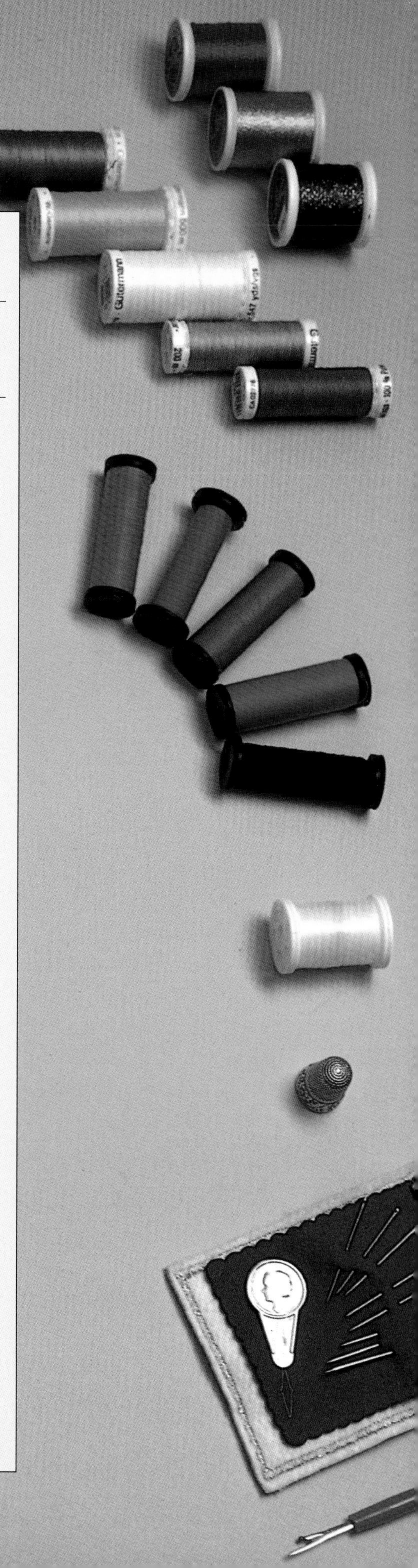

Le choix des fils et les petits accessoires

Un fil à coudre de mauvaise qualité peut vous compliquer la vie considérablement : il se cassera sans cesse, la bobine se dévidera mal lorsque vous piquerez à la machine… S'il y a une fourniture pour laquelle il ne faut pas lésiner sur la qualité, c'est celle-là. D'autant que la différence de prix entre un fil de mauvaise et de bonne qualité est de l'ordre de 2 à 3 francs par bobine.

• Autrefois, les couturières employaient du fil à bâtir, de grosses bobines bleu ciel ou rose pâle, pour tous les faufils. Ce fil est moins onéreux que le fil à coudre, mais son utilisation ne se justifie que si vous faites de la couture régulièrement. Pour les faufils, vous pouvez utiliser un fil d'une moindre qualité, mais, surtout, choisissez une couleur qui tranche franchement avec le tissu de l'ouvrage que vous entreprenez. Souvent, en effet, le faufil ne sert pas seulement à maintenir en place le tissu avant que vous ne le piquiez, il peut être aussi un repère. De plus, s'ils sont de couleur vive, vous pourrez enlever les faufils plus rapidement. Le fil universel est le fil de polyester qui convient à tous les tissus classiques, mais il existe aussi des fils métallisés (qui ne peuvent pas être utilisés avec une machine à coudre), du fil invisible, du fil de soie…

Lorsque vous piquez à la machine, faites attention à toujours mettre dans la canette un fil de la même qualité et de la même texture que celui avec lequel vous piquez.

• Le dé à coudre se met sur le majeur. Il permet de faire des points à la main sans se piquer. Il est indispensable si vous devez coudre ensemble plusieurs épaisseurs de tissu épais.

• Les aiguilles. Ayez sous la main des aiguilles de plusieurs longueurs et dont le chas est de tailles différentes. Si vous avez du mal à les enfiler, utilisez un enfile-aiguilles.

• Le Découvit est un petit instrument qui permet de découdre beaucoup plus facilement qu'avec des ciseaux, si fins soient-ils. Il peut aussi s'utiliser pour fendre les boutonnières.

Les tissus

La variété et les coloris des tissus sont infinis et le choix des textures et des motifs est plus affaire de goût personnel que de règles à respecter. Néanmoins, voici quelques conseils pour éviter les déceptions :

- Si vous entreprenez pour la première fois un ouvrage, choisissez un tissu qui ne glisse pas et qui ne soit pas trop épais, car il serait difficile à travailler.
- Pour des ouvrages qui devront être lavés par la suite (linge de maison, tissu-éponge, toile à torchon, éventuellement coussins…), il est préférable de passer les tissus à la machine avant de les utiliser. S'ils rétrécissent, il vaut mieux que ce soit avant que vous ne les cousiez.
- Si le tissu que vous employez est fortement amidonné (ce qui est souvent le cas des cotonnades), faites-le tremper toute une nuit dans de l'eau froide avant de le laver. En effet, un tissu très amidonné et lavé à une température élevée peut se froisser irrémédiablement.

❖

***En plus des tissus traditionnels,
pensez à utiliser des galons à broder,
des bandes de toile de jute, de la sangle…
Les merceries recèlent des trésors.
Vous trouverez des adresses en fin d'ouvrage.***

❖

Droit fil et lisière

Un tissu est composé de deux nappes de fils qui sont tissées l'une avec l'autre à angle droit. Les fils de chaîne sont tendus dans la longueur, tandis que les fils de trame le sont à la verticale.

Tous les tissus ont une lisière, c'est-à-dire un bord de chaque côté. Ce bord peut être la continuité des motifs du tissu, mais, souvent, il s'agit d'une bande non imprimée de motifs sur laquelle est indiqué le nom du fabricant ou de l'éditeur du tissu, voire le nom du tissu et même, parfois, les couleurs que l'on retrouve dans l'imprimé.

Pour certaines réalisations expliquées dans les pages suivantes, vous comprendrez qu'il peut être important de couper certaines pièces de tissu le long de la lisière.

Pour couper dans le droit fil, votre patron doit être parfaitement parallèle aux fils de chaîne ou aux fils de trame, et non en biais. Il est facile de respecter le droit fil avec un tissu à motifs ; cela l'est moins, en revanche, avec un tissu uni. Néanmoins, vous devrez y veiller, car c'est l'une des conditions de la réussite de la plupart des réalisations.

❖

Faites attention, car la lisière de certains tissus bon marché n'est pas toujours dans le droit fil ; de même certains motifs, des écossais par exemple, ne le sont pas non plus. Selon les cas, il peut être préférable de suivre les motifs plutôt que le droit fil.

❖

Les fournitures pour les rideaux

Pour froncer le haut des rideaux, vous utiliserez de la Ruflette, qui sert à la fois de support aux crochets et à former les plis dans le tissu. La Ruflette existe dans différentes largeurs et, selon les crochets que vous choisirez, les plis obtenus seront différents.

Vous trouverez des indications pour prendre les mesures pour les rideaux page 12.

La pose de la Ruflette est expliquée page 72.

Pour le rembourrage des coussins et le molletonnage des coussins et courtepointes, préférez les fibres synthétiques qui sont légères et qui supporteront les lavages en machine. Lorsque vous lavez un coussin avec son rembourrage à l'intérieur, faites-le sécher à plat.

La mercerie

• Les croquets, rubans de toutes largeurs et de tous coloris, se trouvent dans les merceries. Pensez à les utiliser, car, à l'exception de quelques rubans brodés ou de croquets sophistiqués très chers, ils peuvent, pour un coût modique, modifier complètement l'aspect d'un ouvrage. Pour du linge de maison, qui doit être lavé souvent, préférez les rubans de coton ou les rubans de polyester, qui sont solides et supporteront bien le repassage.

• Il existe aussi de nombreux biais et passepoils prêts à poser, mais il est possible de confectionner un biais soi-même : vous trouverez les explications page 17. Vous pouvez également réaliser un passepoil, en habillant de tissu une cordelette spéciale qui existe en différentes tailles. Les explications sont données page 17.

• La variété des élastiques est aussi très grande : élastique fin pour faire des fronces (explications page 16), élastiques plats, fins et larges. Il existe aussi un grand choix de pressions, agrafes et autres systèmes de fermeture.

Notions de base, conseils et astuces

Dans la couture pour la maison, rien n'est vraiment difficile.
La réussite tient surtout à une bonne installation : table suffisamment grande pour couper les tissus, planche à repasser à proximité…
Elle tient aussi à la précision avec laquelle vous prendrez les mesures nécessaires.
Enfin, vous devrez suivre avec rigueur les préparatifs indispensables avant de piquer.

Si vous posez vous-même votre tringle et pouvez donc choisir sa longueur, n'hésitez pas à la faire dépasser d'au moins 20 à 30 centimètres de chaque côté de la fenêtre. Dans ce cas, mettez deux ou trois anneaux vers l'extérieur de chacun des supports de tringle. Ainsi, vous aurez une plus grande aisance pour ouvrir la fenêtre, car les rideaux ne gêneront pas.

Vous pouvez fixer les stores à l'intérieur de l'embrasure de la fenêtre. Dans ce cas, ils doivent mesurer, une fois terminés, la largeur du montant de la fenêtre. Vous pouvez également les poser à l'extérieur de l'embrasure. Dans ce cas, vous devez prévoir au moins 15 centimètres en plus de chaque côté.

Les bonnes mesures pour les rideaux

Décidez d'abord de la hauteur de vos rideaux, ce choix étant purement esthétique. Courts, les rideaux s'arrêteront juste au-dessous de l'appui de la fenêtre. Ce peut être une bonne solution pour une cuisine, une entrée, des fenêtres de petite taille ou encore des fenêtres sous lesquelles se trouve un radiateur.
Mi-longs, les rideaux s'arrêteront entre l'appui de la fenêtre et le sol, à mi-hauteur. Les rideaux mi-longs sont très pratiques dans des pièces comme les chambres d'enfants ou les pièces de dimensions réduites : ils sont moins « encombrants » que des rideaux traditionnels et donnent moins l'impression de réduire l'espace.
Les rideaux longs peuvent soit s'arrêter au ras du sol — c'est le cas le plus classique —, soit traîner légèrement, dans une chambre par exemple.
Lorsque vous avez défini la hauteur, ajoutez une quinzaine de centimètres pour l'ourlet du bas dans le cas des rideaux courts et des rideaux mi-longs, et au moins 25 à 30 centimètres pour les rideaux longs. Là encore, la hauteur de l'ourlet est une question de goût personnel, mais plus la hauteur des rideaux est grande, plus le retour d'ourlet doit être important, sans dépasser toutefois 50 centimètres, afin que le tombé soit meilleur.

Pour la largeur, la bonne proportion est de deux fois et demie la largeur de la fenêtre pour les tissus épais et moyens et de trois fois la largeur de la fenêtre pour les tissus légers.
À moins que vous n'utilisiez un tissu en grande largeur, vous devrez coudre ensemble deux hauteurs de tissu. Veillez donc à prévoir suffisamment de tissu, d'une part, pour les raccords d'un même panneau si le tissu est à motifs, d'autre part, pour que le raccord des motifs soit satisfaisant entre les deux rideaux.

L'utilisation d'une machine à coudre

En général, les machines à coudre sont accompagnées d'une notice donnant tous les détails nécessaires à son utilisation. Vous ne trouverez donc ici que quelques astuces d'organisation pour avancer plus vite dans votre travail.

La tension du fil supérieur doit être bien réglée, de manière que les points formés par les deux fils soient au milieu du tissu. Pour les ouvrages classiques avec des tissus d'une épaisseur moyenne, le bon réglage est généralement sur le chiffre 5 de la molette de réglage de tension du fil. Si le fil du dessus est trop tendu, le croisement se fera trop près de la surface du tissu, et celui-ci froncera. Si, au contraire, le fil n'est pas assez tendu, le croisement des fils se verra sur l'envers du tissu et la couture sera trop lâche.

Lorsque vous commencez une piqûre, faites un aller-retour sur les deux ou trois premiers points et procédez de même à la fin de la piqûre. Vous pourrez ainsi couper les fils sans risque au ras du tissu.

En principe, toutes les machines, même les plus simples, permettent de faire trois points.

Le point classique, dont la longueur est réglable.

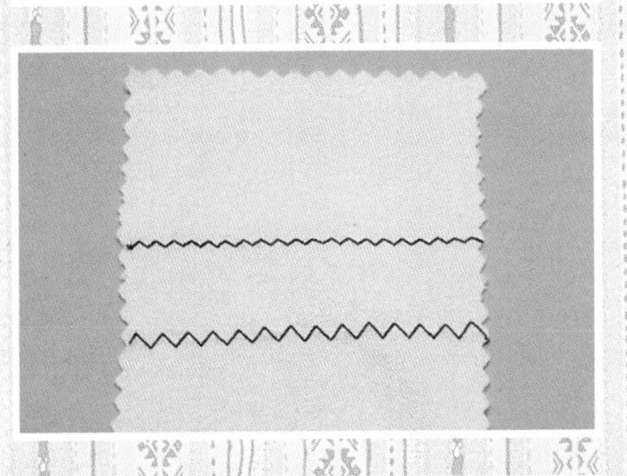

Le point zigzag, dont la longueur mais aussi la largeur sont réglables.

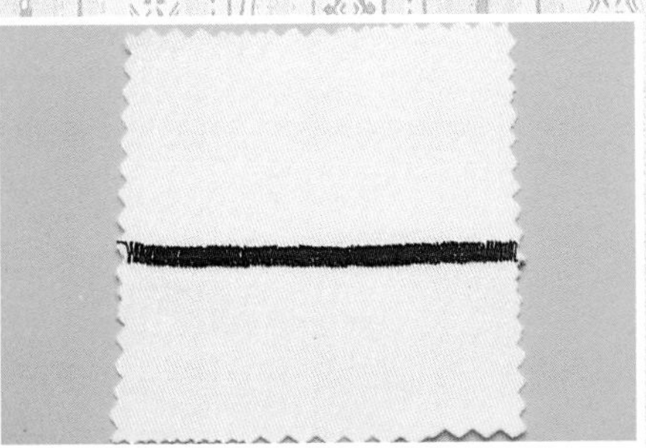

Le point de bourdon, qui n'est autre qu'un point zigzag dont la longueur est réglée au minimum. Sa largeur est réglable.

Lorsque vous installez la canette dans son support, la navette, vérifiez, en tirant sur le fil, avant de la mettre dans la machine, qu'elle tourne bien dans le sens des aiguilles d'une montre.

Si l'ouvrage que vous entreprenez nécessite plusieurs couleurs de fils de canette, préparez-les à l'avance. N'oubliez pas, lorsque vous piquez sur l'envers, que c'est le fil de la canette qui sera visible : faites attention à sa couleur.

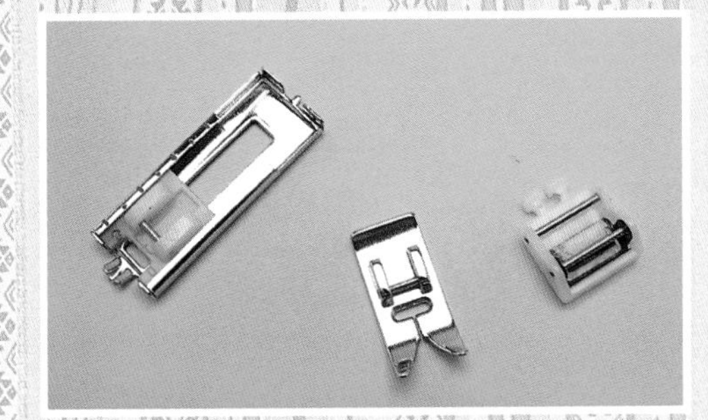

Le pied-de-biche de la machine tient le tissu que vous êtes en train de coudre. En plus du pied-de-biche traditionnel, le plus couramment utilisé, il existe aussi des pieds-de-biche pour coudre les fermetures Eclair, des pied-de-biche qui guident le tissu pour faire des ourlets très minces dans des tissus fins, etc…

Faire un faufil

Le faufil est une couture à grands points que l'on fait à la main pour maintenir ensemble une ou plusieurs pièces de tissu après les avoir épinglées et avant de les piquer à la machine. Certains faufils peuvent aussi servir de repère, le long duquel il faudra piquer par exemple. Pour les faufils, prenez l'habitude de toujours utiliser un fil de couleur vive qui tranche nettement avec le tissu de l'ouvrage. Ainsi, lorsque le faufil vous servira de repère, vous le verrez mieux. Il sera également plus aisé de ne pas oublier d'enlever les faufils une fois la couture terminée.

Faire un rentré

Pour faire un rentré, il suffit de replier le tissu, soit dans sa longueur, soit sur un côté, de manière régulière. Repassez pour bien marquer le pli.

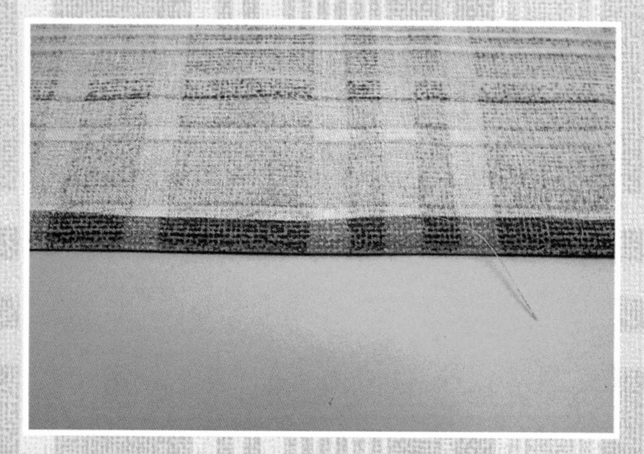

Faire un ourlet

Un ourlet n'est rien d'autre qu'un double rentré : vous repliez d'abord le tissu une fois, puis une seconde fois sur lui-même. Repassez pour bien marquer les plis avant de faufiler.
La largeur de l'ourlet dépend du tissu que vous avez choisi pour votre ouvrage.

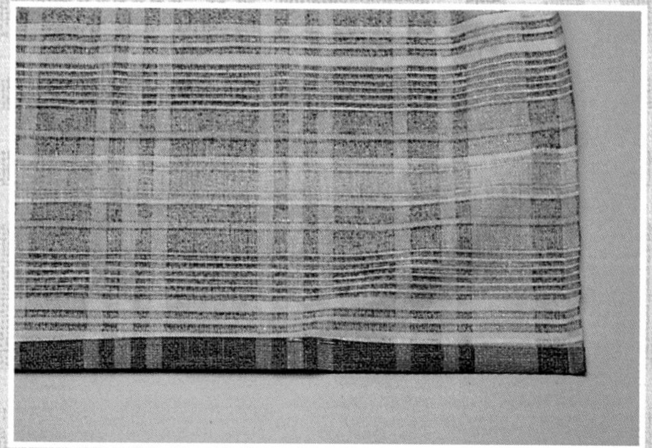

Pour certaines piqûres, l'assemblage de deux petites pièces ou une couture toute droite, il n'est pas indispensable de faufiler. Si vous placez les épingles perpendiculairement au sens de la couture, vous pourrez les laisser en place lorsque vous piquerez et ne les enlever qu'une fois la piqûre effectuée.

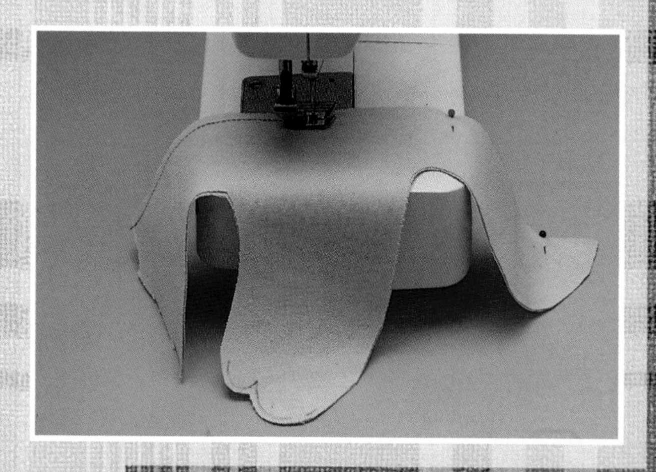

Surfiler

Même si vous découpez le tissu avec des ciseaux à cranter, à l'usage, il s'effilochera. Pour éviter cela, il faut surfiler : ouvrez la couture en la repassant, puis faites une couture au point zigzag le plus près possible de chacun des bords extérieurs de la couture. Selon l'ouvrage, il peut arriver aussi que vous n'ayez pas à ouvrir la couture en la repassant ; dans ce cas, surfilez les deux épaisseurs de tissu ensemble.

Cranter

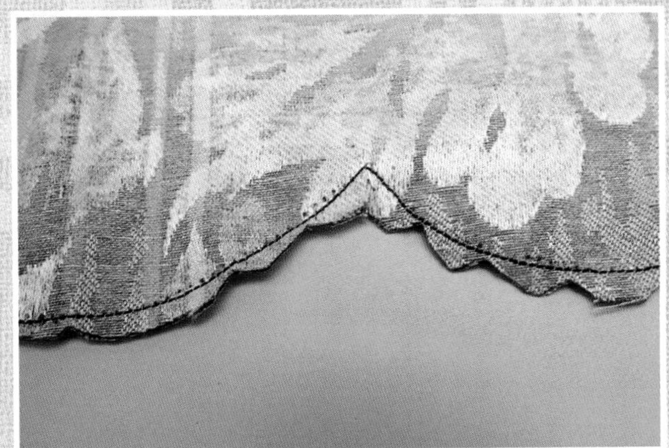

Lorsque vous faites une piqûre sur l'envers d'un ouvrage, soit en arrondi, soit en angle, vous devez cranter le tissu restant à l'extérieur de la couture. Ainsi, lorsque vous retournerez votre ouvrage, les arrondis et coins se formeront correctement. Cette opération consiste à pratiquer de petites entailles dans le tissu avec des ciseaux fins.

Faire une boutonnière

Avec la craie de couturière, marquez la longueur de la boutonnière sur le tissu. Réglez la machine sur le point de bourdon large et piquez sur 2 ou 3 millimètres, en partant du début du repère.
Réglez ensuite la machine sur le point de bourdon fin et piquez sur toute la longueur du repère, jusqu'à 2 ou 3 millimètres avant ce dernier. Réglez à nouveau la machine sur le point de bourdon large puis piquez sur 2 ou 3 millimètres. Sans enlever l'ouvrage de la machine, retournez-le. Réglez la machine sur le point fin et faites une seconde piqûre, parallèle à la première et de la même longueur. Coupez les fils et coupez le tissu, avec des ciseaux fins ou un Découvit, entre les deux piqûres fines.

Faire une bride

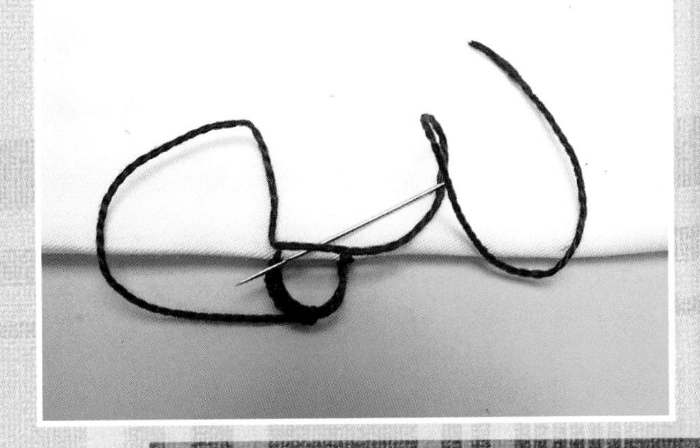

En piquant dans le tissu, faites une boucle avec du coton à broder ou du coton perlé. Recouvrez tout le tour de cette boucle avec le reste de l'aiguillée de coton. Arrêtez solidement.

Froncer

Généralement, vous aurez à froncer du tissu pour poser des volants.
Mesurez la longueur du tissu sur lequel vous aurez à poser le volant et multipliez-la par deux : vous obtiendrez ainsi la longueur de tissu que vous devez découper pour faire un volant aux bonnes proportions.
Le fil de fronce se passe soit à la main, soit à la machine. Cette dernière solution est la plus rapide et, surtout, donne un résultat plus régulier.
Réglez la machine sur le point le plus long et faites une piqûre le long du tissu, à 1 centimètre du bord environ. Pour une longueur de tissu inférieure ou égale à 50 centimètres, ne faites qu'une piqûre. En revanche, si la longueur du tissu est supérieure à 50 centimètres, divisez-la en deux, en trois ou en quatre et tracez des repères à la craie de couturière. De la même manière, divisez en deux, en trois ou en quatre la longueur du tissu qui recevra le volant, puis tracez aussi des repères à la craie de couturière. Piquez, toujours avec le point le plus long, en interrompant le fil de fronce à chaque repère. Pour froncer, tirez sur le fil supérieur de la couture, en faisant bien attention à ne pas le rompre. Si cela arrivait, la seule solution serait de recommencer la piqûre. Lorsque le tissu est froncé, posez-le, endroit contre endroit, sur le tissu auquel il est destiné, en faisant correspondre les repères. Epinglez, faufilez et piquez.

Si vous passez les fils de fronce à la main, faites de petits points le plus régulièrement possible, puis tirez délicatement sur le fil à partir d'une extrémité de l'ouvrage, en faisant bien attention à ne pas le casser.

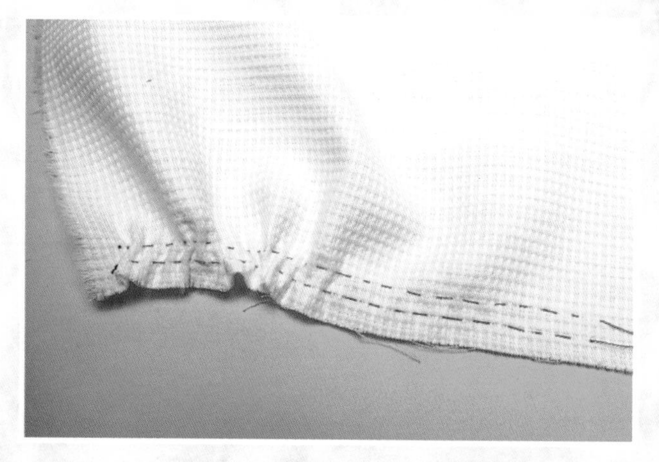

Dans les tissus lourds ou épais, passez deux fils de fronce l'un au-dessus de l'autre, en les espaçant de 0,5 cm environ. Tirez ensuite sur les deux fils en même temps.

Confectionner et poser du biais

Lorsque vous désirez assortir le biais au tissu, la seule solution est de le faire vous-même. Pliez un carré de tissu en deux, de manière à obtenir un triangle. Découpez le biais le long de la pliure. Vous aurez ainsi un biais parfaitement coupé dans la diagonale du tissu.
Faites un rentré de 1 centimètre de chaque côté et marquez bien ce pli au fer à repasser, puis repliez à nouveau le biais en deux. Il est prêt à être posé. Lorsque vous calculerez la largeur de biais que vous souhaitez, n'oubliez pas d'ajouter deux fois 1 centimètre pour le premier rentré de chaque côté.

Pour faire un angle parfait avec du biais, coupez en pointe les extrémités de chacun des morceaux à assembler et posez-les endroit contre endroit. Piquez en suivant la forme de la pointe.

Confectionner et poser un passepoil

Pour faire votre propre passepoil, il existe de la cordelette, en différents diamètres, réservée à cet usage. Découpez une bande de biais de la même longueur que celle du passepoil et posez-la au centre de la bande de tissu.
Repliez le biais en deux et faufilez au plus près de la cordelette.
Posez le passepoil le long de la couture qu'il doit border, partie rembourrée du passepoil vers l'intérieur de l'ouvrage, et faufilez le passepoil sur le tissu, en prenant comme repère le faufil du passepoil.
Posez alors le second tissu par-dessus et faufilez-le en prenant comme repère le faufil précédent.
Piquez en réglant le pied-de-biche avec un décalage à gauche. Vous pouvez aussi utiliser un pied-de-biche destiné à coudre les fermetures Eclair.

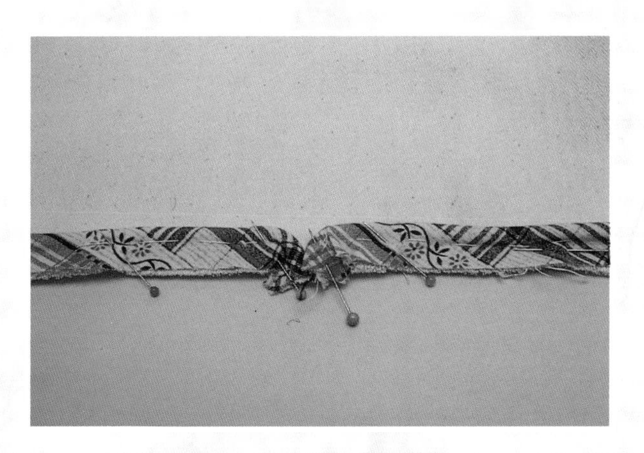

POUR LES PARENTS

Tapis de jeu, draps et serviette de plage...

Une chambre ensoleillée

Un petit air de Provence pour des draps et un coussin mariant harmonieusement les unis, les imprimés et les écossais.

Les draps et taies d'oreillers

Faites bien attention à mettre du fil de la couleur des taies d'oreillers dans la canette, pour que les piqûres ne se voient pas sur l'envers.

Pour ce type d'ouvrage, si vous piquez un nombre suffisant d'épingles à la perpendiculaire par rapport au sens de la couture, vous n'aurez pas besoin de faufiler. Cette technique est expliquée dans les pages pratiques, au début du livre.

LES FOURNITURES NÉCESSAIRES

- 12 mètres de ruban écossais de 4 centimètres de largeur. Ces mesures conviennent pour un drap de 2 personnes de 2,40 m de largeur et 2 taies d'oreillers classiques de 65 centimètres de côté.
- Deux bobines de fil, une assortie au ruban et une autre assortie aux draps.

Sur le modèle photographié ici, le ruban est cousu à 1 centimètre du bord, mais cette dimension peut varier en fonction de la taie, selon qu'elle a une couture au point de bourdon assez ordinaire et que vous souhaitiez la masquer avec le ruban, ou, au contraire, que vous désiriez le laisser apparaître et coudre le ruban juste à côté. Une seule règle à respecter : ne cousez pas le ruban trop loin des bords, pour qu'il ne vous gêne pas lorsque vous utiliserez l'oreiller.

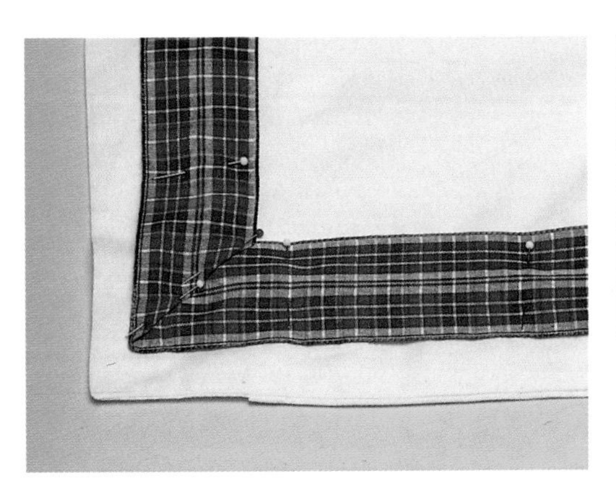

Coupez quatre morceaux de ruban de 70 centimètres de longueur. Si la taie a des dimensions différentes de celles données ci-dessus, coupez la longueur de la taie plus 5 centimètres.
Posez et épinglez un morceau de ruban, sans vous soucier des extrémités pour l'instant ; laissez juste dépasser la même longueur de ruban de chaque côté.
Posez un deuxième ruban perpendiculaire et épinglez-le.

Pour former les angles, coupez le ruban qui se trouve dessous au ras du bord extérieur de celui qui est dessus.
Coupez l'extrémité du ruban se trouvant dessus en biais en laissant 5 millimètres environ de plus que nécessaire, puis repliez ces 5 millimètres dessous. Epinglez.

Posez les deux autres rubans de la même manière. Piquez ensuite les bords de chaque ruban et leurs angles.

*P*our le nœud, coupez un morceau de ruban de 50 centimètres de longueur. Posez-le à plat sur l'endroit et rabattez chaque extrémité de 15 centimètres vers l'intérieur, en les croisant. Rassemblez le centre et cousez avec quelques points pour maintenir le nœud.

*M*asquez ces points avec un petit morceau de ruban que vous plierez en deux dans le sens de la longueur et que vous enroulerez autour du nœud. Faites quelques petits points derrière et coupez les extrémités du ruban en pointes.

Afin d'éviter les mauvaises surprises avec des draps neufs qui risquent de rétrécir au lavage, il est préférable de les laver à la machine, à une température minimale de 60 °C, avant d'y coudre les rubans.

Piquez le nœud sur l'angle supérieur gauche de la taie en faisant une petite couture le long de chacun des bords du morceau de ruban central. Ainsi, vous applatirez bien le nœud sur la taie d'oreiller et il ne sera gênant ni pour plier et ranger la taie d'oreiller ni pour les utilisateurs de l'oreiller.

Pour réaliser le drap, cousez le ruban tout du long, à 5 centimètres du bord, en repliant ses extrémités.
Piquez le nœud au centre du ruban et au milieu du drap, en faisant une petite piqûre le long des bords, comme pour l'oreiller.
Veillez à mettre le nœud tête en bas sur le drap, afin qu'il se trouve dans le bon sens lorsque vous rabattrez ce dernier sur le dessus de la couverture.

Le *coussin provençal*

LES FOURNITURES NÉCESSAIRES

- 60 centimètres de tissu uni en 1,10 m de largeur. Choisissez de préférence une toile un peu épaisse.
- 30 centimètres d'un tissu provençal à petits motifs en 1,30 m de largeur et 50 centimètres d'un tissu provençal coordonné au précédent mais comportant des rayures en 1,30 m de largeur également.
- 5 mètres de ruban de satin de 8 millimètres de largeur de la couleur dominante des tissus provençaux.
- Deux bobines de fil, une assortie au tissu uni et une autre assortie au ruban de satin.
- De la fibre synthétique de rembourrage.

Découpez deux carrés de 52 centimètres de côté dans le tissu uni et deux carrés de 27 centimètres de côté dans le tissu provençal à petits motifs.
Dans le tissu provençal à rayures, tracez huit triangles isocèles de 32 centimètres de base et de 23 centimètres de côté.
Pour un résultat géométrique satisfaisant, la base des triangles doit être positionnée en biais par rapport aux rayures et vous devez respecter le même angle d'inclinaison pour chaque triangle.
Disposez ces derniers sur le tissu en veillant à ce qu'il vous reste de quoi découper deux bandes de 5 centimètres dans toute la largeur du tissu.
Découpez les triangles et les bandes.

Vous pouvez aussi faire le dos du coussin plus simplement, en utilisant un des deux tissus provençaux. Dans ce cas, il ne vous faudra que 30 centimètres de tissu uni et 30 centimètres supplémentaires du tissu que vous choisirez d'utiliser.

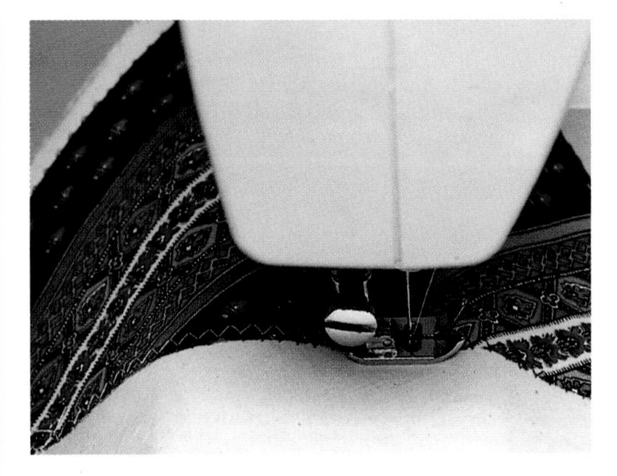

Faufilez, bord à bord, un triangle de tissu provençal à rayures à chaque coin de l'un des carrés de tissu uni.
Disposez ces triangles de manière que leurs rayures soient harmonieusement réparties les unes par rapport aux autres.
Si le hasard vous a fait découper deux triangles identiques, ne les mettez pas en face l'un de l'autre. Piquez les trois côtés des triangles au point zigzag.

Procédez de la même façon pour l'autre face du coussin, qui, pour l'instant, est identique.

Epinglez un carré de tissu provençal à petits motifs sur un des carrés unis, en faisant correspondre chacun de ses coins avec le milieu du côté du carré uni.
Lorsque vous êtes sûre que tout est bien place, faufilez et piquez tout autour au point zigzag.
Coupez ensuite seize morceaux de ruban de satin de 30 centimètres chacun et épinglez quatre de ces morceaux sur chacune des bases des quatre triangles.
Cousez-les par une piqûre le long de chacun des bords.

Procédez de la même façon pour les quatre triangles de l'autre face du coussin.
Sur cette face, épinglez également un morceau de ruban le long de chacun des quatre côtés du carré de tissu provençal à petits motifs.

Prenez les deux bandes de tissu provençal à rayures et, avec un fer à repasser, pliez-les en trois dans le sens de la longueur, de façon que les deux parties repliées se chevauchent très légèrement. Passez un fil de fronce tout le long et au milieu de chacune des bandes, et tirez sur le fil jusqu'à ce que la longueur soit réduite de moitié.

Repliez chaque extrémité et piquez le long de chacun des bords du ruban.
Cette face sera le dos du coussin.

Epinglez ces bandes autour du carré central du devant du coussin en les ajustant pour répartir les fronces. Piquez-les en leur milieu. Pour masquer cette couture, épinglez, au milieu du volant, les quatre derniers morceaux de ruban. Fixez-les par une piqûre le long de chacun des bords. Pour terminer, piquez les deux faces du coussin endroit contre endroit, en laissant une ouverture pour y introduire la fibre de rembourrage. Terminez par une couture à la main à points invisibles.

Vous trouverez les explications détaillées pour le passage des fils de fronce dans les pages pratiques, en début d'ouvrage.

Cardez bien la fibre de rembourrage avant de la mettre dans le coussin, sinon elle risque de faire des épaisseurs disgracieuses qui se verront à la surface du coussin. Il suffit de desserrer la fibre de façon à lui donner plus de volume.

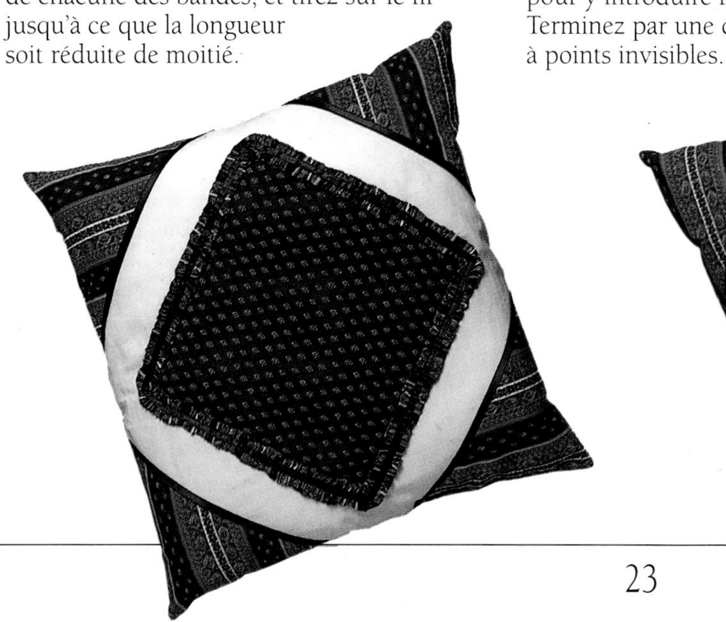

Pique, cœur, carreau, trèfle

A offrir à des passionnés de bridge : un vrai tapis de jeu et, comme dans les cercles les plus chics, des dessous-de-tasse assortis.

Le tapis de jeu

Photocopiez chacune des quatre couleurs en suivant les indications de la page 26. Découpez ces patrons sur les traits tracés, puis reportez-les sur le côté non collant de la viseline.

Ne repassez pas la viseline avec un fer trop chaud, au risque de la brûler et de la rendre trop raide.

Découpez chaque forme et, en les repassant, collez-les sur l'envers du tissu écossais, que vous prenez dans le biais. Coupez les surplus de viseline autour du tissu.

Déterminez le centre du tissu en le pliant deux fois dans le sens des diagonales. Marquez légèrement les plis au fer à repasser, ils vous serviront de repères pour placer les couleurs. Pour mieux visualiser le centre de la nappe, faites une croix avec un fil de couleur.

LES FOURNITURES NÉCESSAIRES

- Un carré de lainage très fin vert foncé de 1,30 m de côté.
- 30 centimètres de tissu écossais fin en 1,10 m de largeur.
- Un carré de viseline de 50 centimètres de côté.
- 5,50 m de ruban de satin de 8 millimètres de largeur, de deux couleurs différentes, assorties au tissu écossais.
- Deux bobines de fil assorties aux rubans de satin.

Pour éviter que les plis ne marquent le tissu, vous aurez intérêt, lorsque vous rangerez le tapis de jeu à le rouler plutôt que le plier. Utilisez pour cela un tube de carton de récupération.

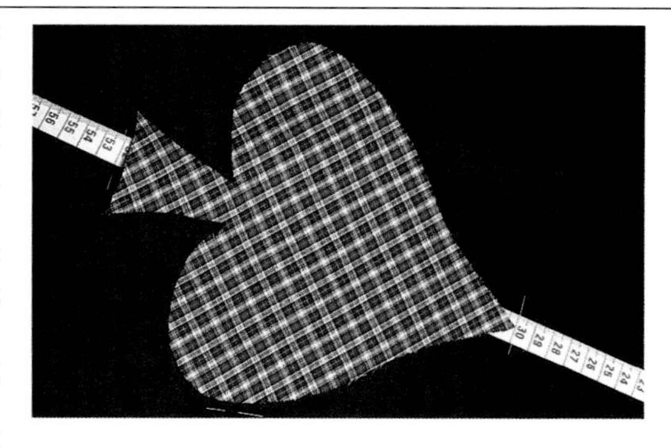

Posez le tapis bien à plat et déroulez un mètre-ruban sur l'une des diagonales en suivant le pli de repère marqué au fer. Placez le « 0 » du mètre au centre du tapis, sur la croix marquée avec du fil. Disposez une première couleur en plaçant son extrémité supérieure à 30 centimètres du centre du tapis. Epinglez.

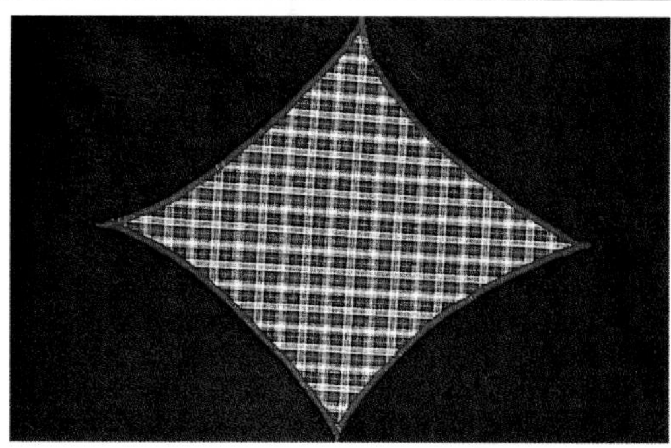

Procédez de la même façon pour placer les trois autres couleurs, puis faufilez-les.

Réglez la machine à coudre sur un point de bourdon assez étroit, puis piquez le tour de chaque couleur en utilisant une même couleur de fil pour le carreau et le cœur, et une autre pour le pique et le trèfle.

Coupez huit longueurs de ruban de 1,32 m chacune, quatre d'une couleur et quatre de l'autre.
Epinglez les rubans de la première couleur sur chacun des bords de la nappe.
Pour faire les angles, repliez la première extrémité sous le tissu et repliez la seconde perpendiculairement, en biais, de manière à former un angle net.
Epinglez ensuite, juste à côté, les rubans de l'autre couleur.
Dans les angles, ceux-ci passent par-dessus les premiers rubans et leurs extrémités sont rabattues, à angle droit, sous le tissu.
Faufilez puis piquez les rubans avec du fil de couleur assortie.

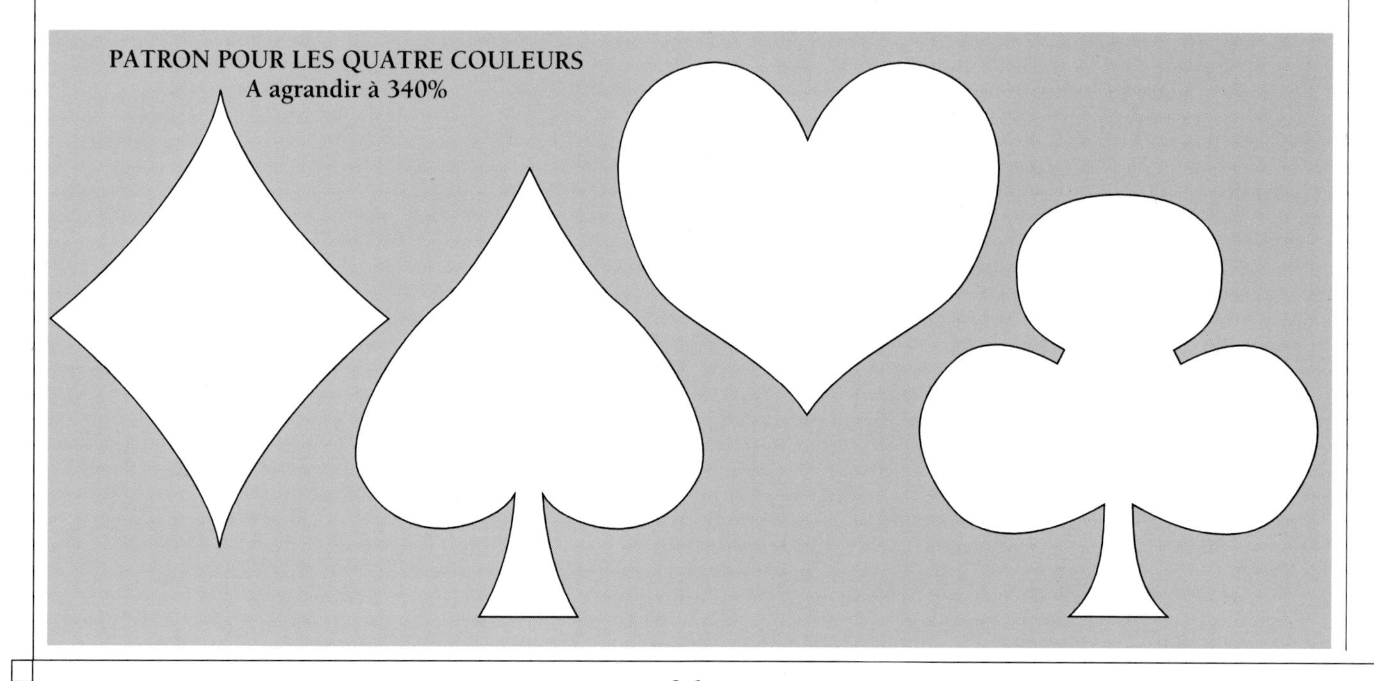

Les dessous-de-tasse

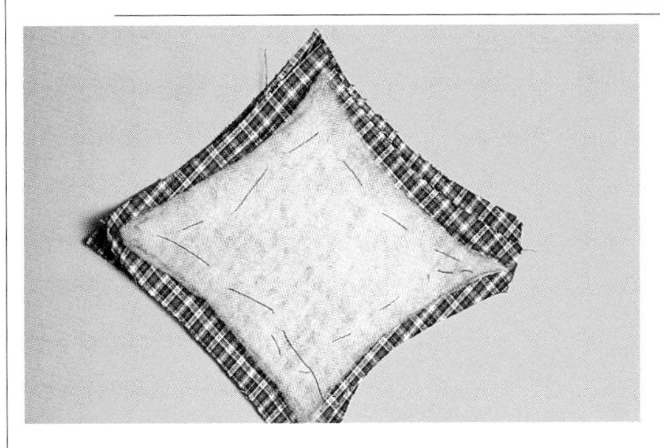

Réutilisez les patrons des couleurs découpés pour le tapis de jeu et reportez deux fois chacun des tracés sur le tissu écossais. Découpez ces huit formes en ajoutant 1 centimètre pour les coutures. Reportez également chaque tracé sur le molleton et découpez ces quatre formes, cette fois sans ajouter de marge. Posez ensuite chaque pièce de molleton sur l'envers d'une face tissu de forme correspondante et faufilez.

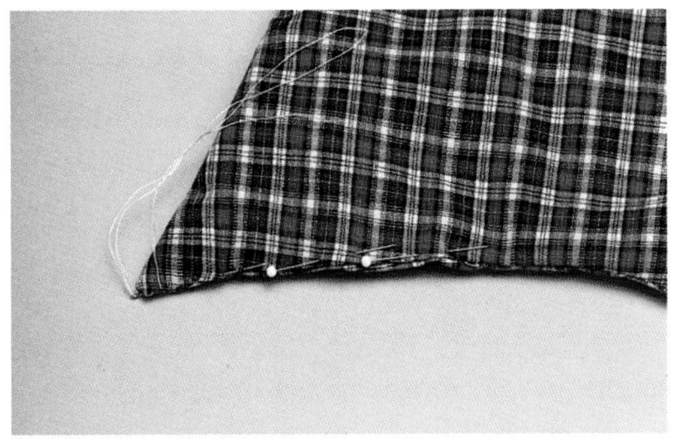

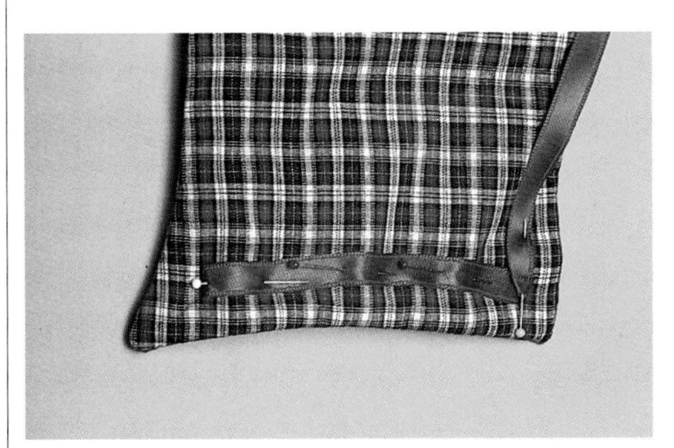

Pour coudre le ruban sur chacune des couleurs, placez-le à 1,5 cm du bord et épinglez-le tout autour avant de le couper. Pour bien épouser les angles et les arrondis, repliez le ruban sur lui-même et posez une épingle sur chacun de ces plis. Lorsque vous avez terminé, coupez le ruban et repliez son extrémité par-dessous. Faufilez, puis faites une double piqûre avec du fil assorti au ruban.

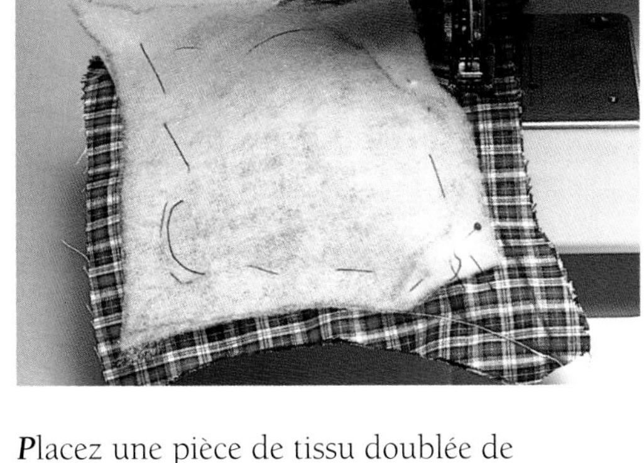

Placez une pièce de tissu doublée de molleton sur l'autre, endroit contre endroit, le molleton devant se trouver au-dessus. Epinglez les pièces de tissu, puis piquez-les ensemble en veillant à ne pas prendre le molleton dans la couture. Laissez une ouverture de 2 ou 3 centimètres sur l'un des côtés les plus droits de la forme, afin de pouvoir retourner l'ouvrage sur l'endroit.

Crantez les angles et les arrondis de chacune des formes, puis retournez-les délicatement en faisant bien attention de ne pas tirer sur les coutures. Faites bien ressortir les pointes et les parties comportant des angles droits.

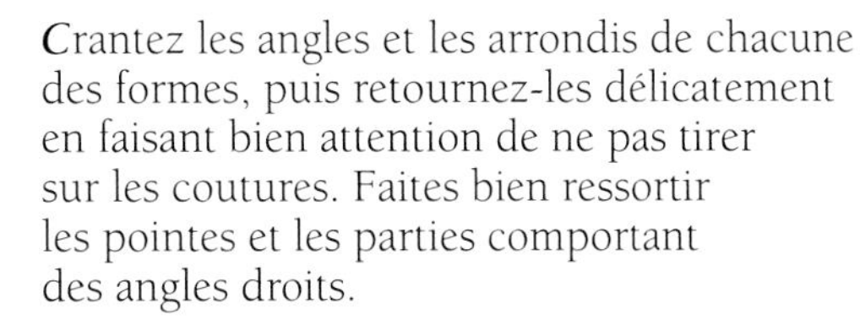

Epinglez puis fermez chacune des ouvertures à petits points invisibles. Repassez chaque couleur pour aplatir les coutures et marquer les arrondis et les coins.

LES FOURNITURES NÉCESSAIRES

- 30 centimètres de tissu écossais fin en 1,10 m de largeur.
- 20 centimètres de molleton.
- 1,50 m de ruban de satin de 8 millimètres de largeur, de deux couleurs différentes.
- Deux bobines de fil assorties aux rubans.

Les coloris des rubans cousus sur les dessous-de-tasse correspondent à ceux des fils utilisés pour le surpiquage au point de bourdon des couleurs du tapis de jeu. Vous pouvez faire la même chose, ou, au contraire, inverser les coloris.

Pour le pique et le trèfle, commencez à gauche et terminez en faisant descendre le ruban dans la queue de chacune des couleurs.

En revenant de la plage

Une serviette si grande que l'on peut s'y allonger à deux.
De plus, une poche vous permettra d'y ranger crèmes solaires et lunettes noires.

La serviette de plage

Brodez au point de croix, à deux fils, les motifs de gouvernail, rose des vents, gouvernail et ancre que vous trouverez ci-dessous et page suivante. Les coloris de ces grilles sont donnés à titre indicatif et vous indiquent surtout pour quelles parties du motif vous devrez changer de couleur. Choisissez vos écheveaux en les assortissant au coloris du tissu-éponge. Pour une toile de 10 fils au centimètre, espacez chaque motif de 5 centimètres environ, en les centrant sur la largeur de la bande de toile.

LES FOURNITURES NÉCESSAIRES

- 1,50 m de tissu-éponge en 1,80 m de largeur de préférence uni d'un côté et à rayures de l'autre.
- Une bande de toile de lin ou de toile Aïda de 10 centimètres de largeur sur 50 centimètres de longueur, 5 couleurs différentes de coton mouliné DMC assorties au coloris du tissu-éponge et un petit tambour à border.
- 50 centimètres de Velcro et 6 mètres de biais de 2 centimètres de largeur.

Retaillez le rectangle de tissu-éponge, afin d'obtenir un carré de 1,50 m de côté. Dans la bande ainsi obtenue, découpez un triangle isocèle dont la base mesure 50 centimètres et les côtés 30 centimètres. Posez la bande brodée, côté endroit dessus, le long de la base du triangle de tissu-éponge, côté rayures si le tissu-éponge est rayé. Faites-les se chevaucher légèrement, épinglez et piquez tout du long.
Dédoublez le Velcro et posez une de ses faces le long de cette couture, côté tissu-éponge. Piquez le Velcro de chaque côté.

■ 327 ■ 3345 ■ 907

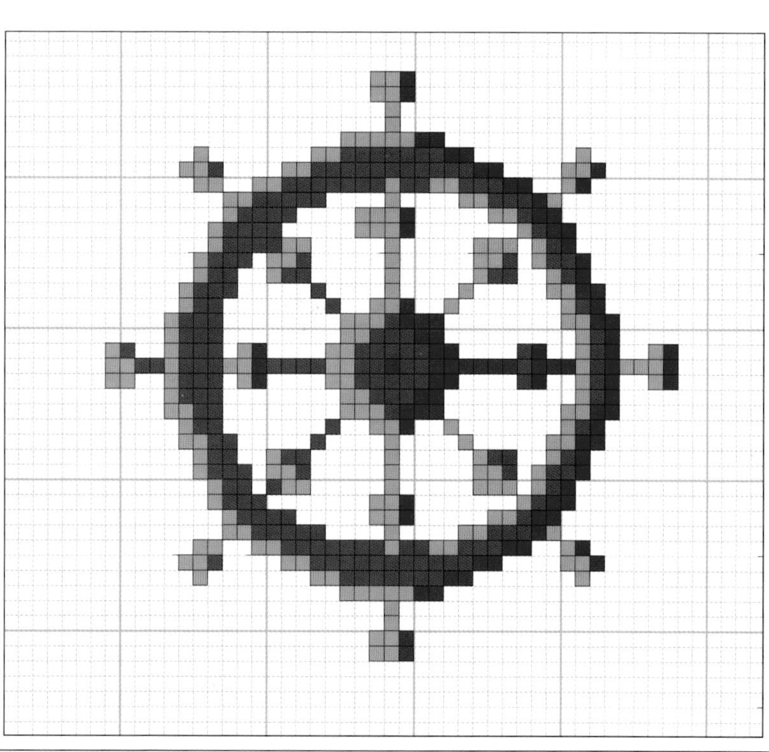

Vous pouvez aussi utiliser du galon à broder pour les motifs. Dans ce cas, cousez la bande brodée directement sur le côté uni de la serviette et piquez un morceau de biais de 50 centimètres de long sur la base du triangle, de manière que le tissu-éponge ne s'effiloche pas.

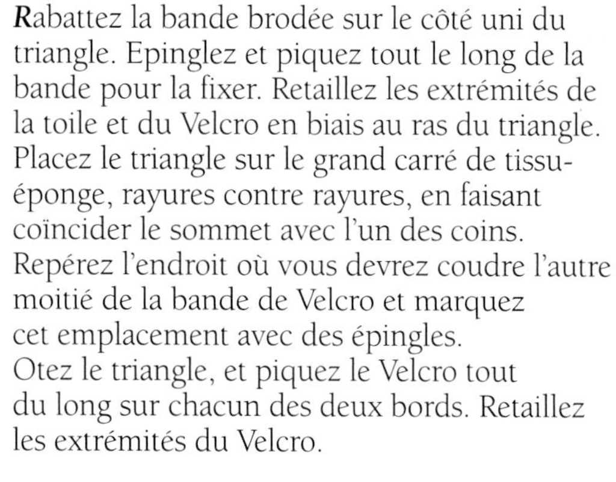

Rabattez la bande brodée sur le côté uni du triangle. Epinglez et piquez tout le long de la bande pour la fixer. Retaillez les extrémités de la toile et du Velcro en biais au ras du triangle. Placez le triangle sur le grand carré de tissu-éponge, rayures contre rayures, en faisant coïncider le sommet avec l'un des coins. Repérez l'endroit où vous devrez coudre l'autre moitié de la bande de Velcro et marquez cet emplacement avec des épingles. Otez le triangle, et piquez le Velcro tout du long sur chacun des deux bords. Retaillez les extrémités du Velcro.

Superposez à nouveau le triangle et le carré, rayures contre rayures. Epinglez-les ensemble, puis piquez sur chacun des deux côtés du triangle se trouvant le long de la serviette, à 5 millimètres du bord environ.

Pliez le biais en deux au fer à repasser et épinglez-le sur la serviette. Formez des coins bien nets. Faufilez, puis piquez tout autour de la serviette, le plus près possible du bord du biais.

▒	907	■	3345
□	963	■	327

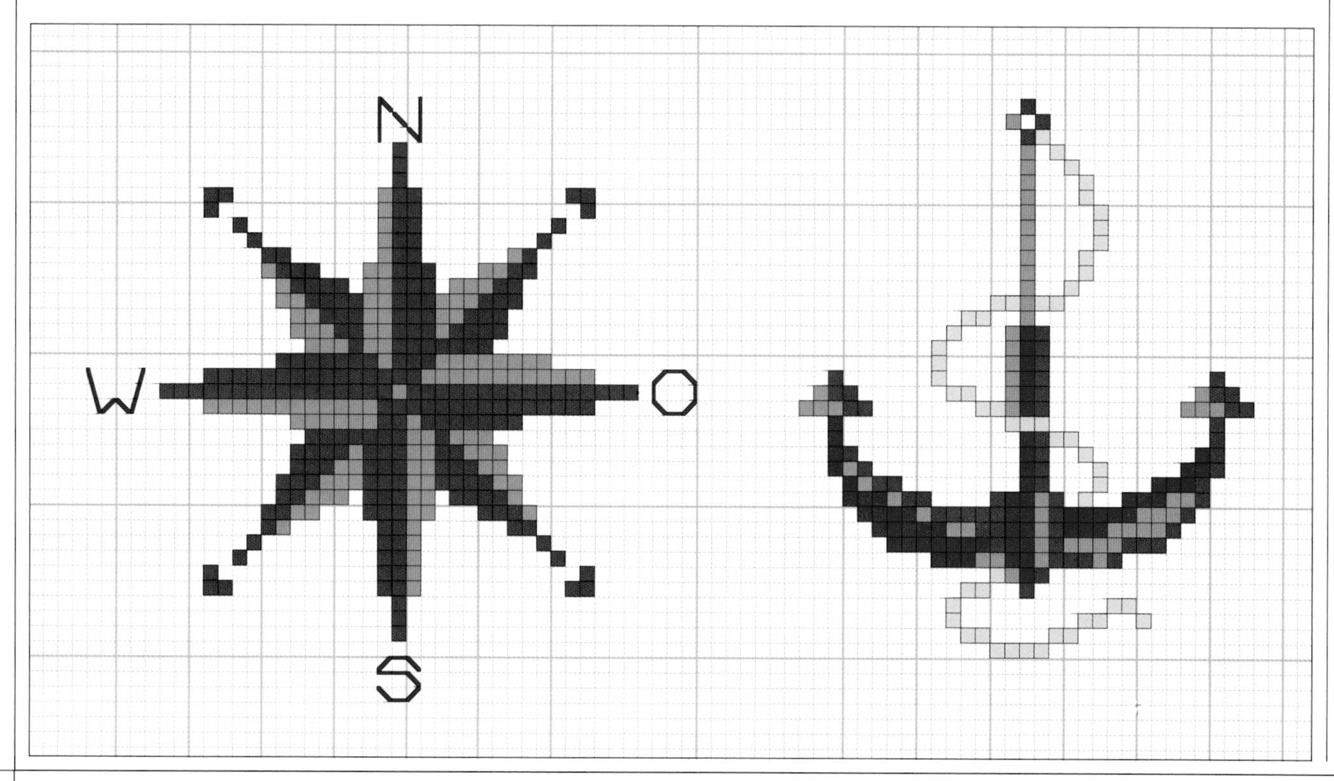

Une ménagère originale

Prenez le temps de coudre cet astucieux range-couverts qui vous permettra de conserver joliment une argenterie bien astiquée.

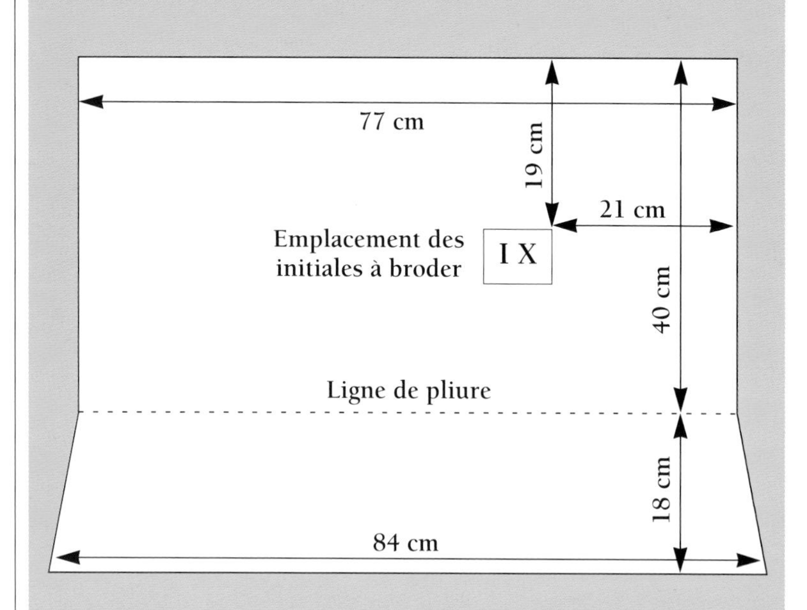

Reportez le gabarit ci-contre sur la toile. Tracez les contours à la craie de couturière et découpez en ajoutant 1,5 cm pour les coutures.
Découpez une seconde forme identique dans le tissu-éponge.

A l'emplacement indiqué sur le gabarit, tracez un léger trait de crayon horizontal pour repérer l'endroit où vous broderez les lettres. Veillez à ce qu'il suive bien le droit fil de la toile. Posez le tire-fils sur la toile, en alignant sa trame par rapport au trait de crayon.

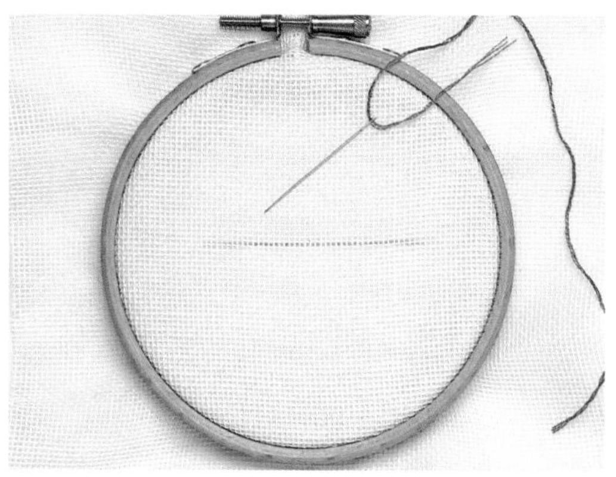

Mettez le tambour en place et brodez les lettres au point de croix.
Lorsque vous avez terminé, enlevez le tambour et tirez les fils du tire-fils en commençant pour tous les fils horizontaux, puis ensuite tous les fils verticaux.

L'alphabet à broder est repoduit page 35.

Le tire-fils permet de broder des tissus qui ne comportent pas de repères pour la broderie. Sa bonne mise en place conditionne le résultat final. Mais vous pouvez choisir de la toile de lin, sur laquelle vous pourrez broder directement.

Epinglez, endroit contre endroit, les deux formes, en toile et en tissu-éponge.
En suivant le tracé à la craie, piquez tout autour, en laissant une ouverture d'environ 40 centimètres sur le grand côté pour pouvoir retourner l'ouvrage.
Crantez les deux épaisseurs de tissu des coutures dans les angles.
Retournez l'ouvrage sur l'endroit, repassez pour bien aplatir la couture de pourtour et les rentrés que vous ferez le long de l'ouverture. Epinglez ces rentrés l'un contre l'autre. Piquez.

Pour une meilleure tenue de l'ouvrage, avant de réaliser les poches, faites une piqûre le long de la ligne de pliure du tissu, indiquée sur le patron, c'est-à-dire le côté commun au rectangle et au trapèze.

LES FOURNITURES NÉCESSAIRES

- 80 centimètres de toile à torchon en 90 centimètres de largeur.
- 70 centimètres de tissu-éponge en 90 centimètres de largeur.
- Deux écheveaux de coton mouliné DMC dans les couleurs de votre choix, un carré de tire-fils de 20 centimètres de côté, un tambour et une aiguille à broder.
- 5 mètres de galon.
- Trois bobines de fil, une bobine assortie à la toile, une bobine assortie au galon et une troisième bobine de couleur vive pour faire les faufils.
- Une agrafe ou un petit crochet pour fermer le lien du range-couverts.

Pour préparer la répartition des poches, divisez la longueur extérieure du trapèze en six et marquez les repères par des fils de couleur sur le bord. Faites la même chose sur le rectangle : divisez sa longueur en six et marquez les repères, à 16 centimètres au-dessus de la ligne de pliure.

Rabattez le trapèze sur le rectangle, tissu-éponge contre tissu-éponge, le long de la ligne de pliure. Ajustez soigneusement, bord à bord, les deux côtés du trapèze sur ceux du rectangle. Fermez à petits points.

A la place du tissu-éponge, vous pouvez aussi utiliser du feutre ou un lainage très fin qui protégeront aussi bien vos couverts.

Pour former les six poches, faites coïncider les repères en fil de couleur.
Epinglez les quatre épaisseurs ensemble et faufilez au fil de couleur vive sur toute la hauteur entre chaque poche.

Coupez cinq fois 20 centimètres de galon.
Epinglez chaque bande centrée sur le faufil de séparation des poches. Faites un rentré à chaque extrémité.
Piquez les galons des deux poches de chaque côté, sans vous occuper du galon central : vous le coudrez au moment de la mise en place du lien de fermeture. Piquez au plus près des bords, en veillant bien, pour ces coutures, à utiliser le fil assorti au galon sur le dessus et le fil assorti à la toile dans la canette.

Coupez deux longueurs de galon de 1,70 m. Assemblez-les, envers contre envers. Piquez-les sur toute la longueur, le plus près possible du bord.

Vous pouvez choisir un galon différent pour les poches et le pourtour du range-couverts.

Epinglez ce galon double à cheval sur le pourtour du rabat de l'ouvrage et les deux côtés. Faites des rentrés à chaque extrémité et formez soigneusement les angles. Cousez à la main à petits points, une fois côté toile, une fois côté tissu-éponge.

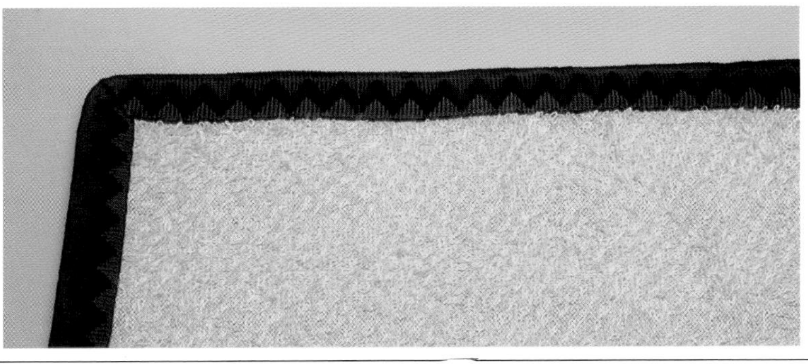

Ce range-couverts est une bonne idée pour un cadeau de mariage dans l'esprit des trousseaux d'autrefois. En principe, on brode d'abord l'initiale du nom de jeune fille de la mariée, puis celle de son futur nom d'épouse.

Pour réaliser un lien de fermeture adapté à vos besoins, coupez une bande de 12 centimètres de largeur dans toute la largeur de la toile.
Mettez les couverts dans le range-couverts, puis fermez-le. Enroulez la bande que vous venez de couper autour et mesurez, bord à bord, la longueur nécessaire, en ajoutant 2 centimètres pour les coutures.
Coupez le surplus de tissu.
Coupez aussi un morceau de galon de la même longueur que celle du lien de fermeture.

Pliez la toile en deux dans sa longueur, endroit contre endroit, et piquez-la à 1 centimètre du bord.
Toujours sur l'envers, aplatissez la couture au fer à repasser.
Retournez la bande, repassez-la en plaçant la couture au milieu d'une des faces.
Epinglez le galon sur la face comportant la couture, centré sur cette dernière, faites un rentré à chacune des deux extrémités de la bande.
Piquez, au plus près des bords, le galon et les extrémités du lien de fermeture.

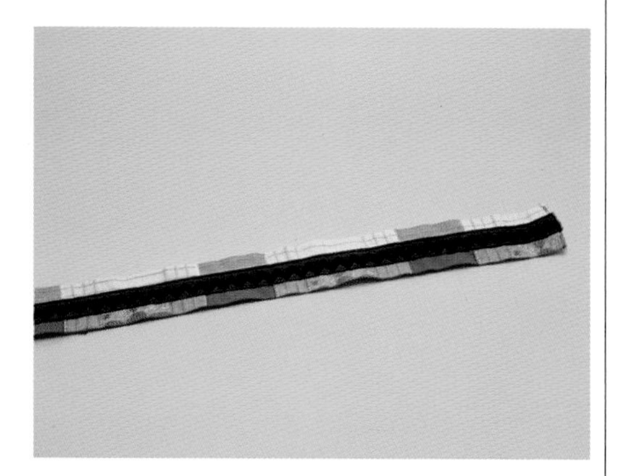

Mettez le range-couverts à plat, côté extérieur dessus. Placez le milieu du lien de fermeture sur le milieu de l'ouvrage, à 10 centimètres du bas. Si, placé ainsi, il cache un peu les lettres, faites-le glisser légèrement vers le bas. Faufilez-le de façon qu'il tienne bien en place. Retournez le range-couverts et piquez les deux coutures du galon central des poches laissées en attente.

A l'une des extrémités du lien de fermeture, cousez une agrafe et, à l'autre extrémité, faites trois brides. La première à 1,5 cm du bord, une autre à 4 centimètres, et la troisième à 6 centimètres. Cela vous permettra de régler le serrage de la fermeture en fonction de la place occupée par les couverts.

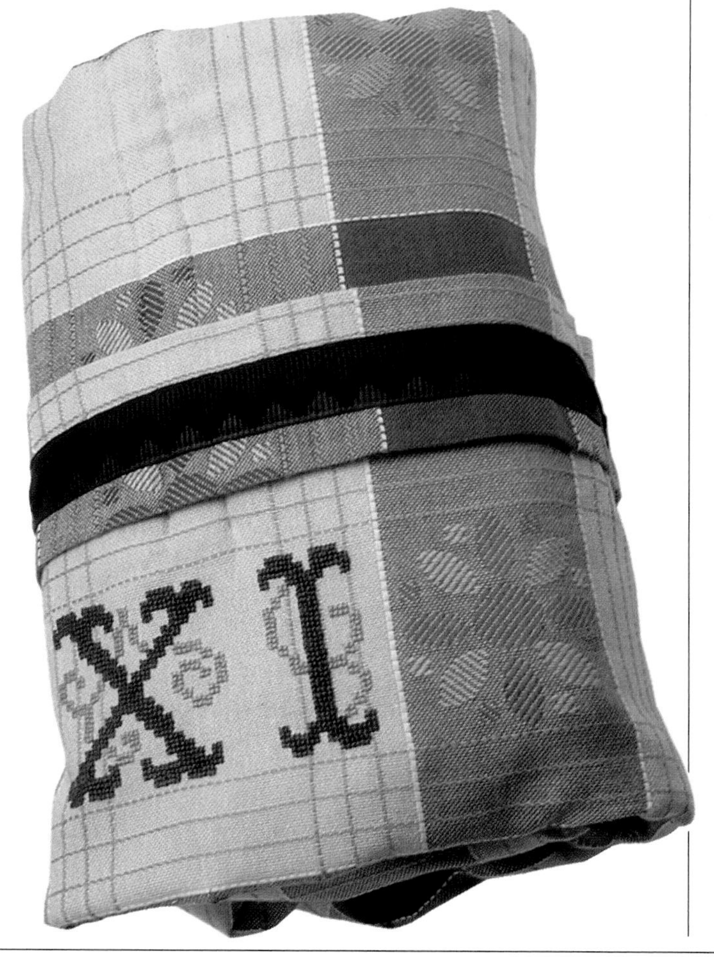

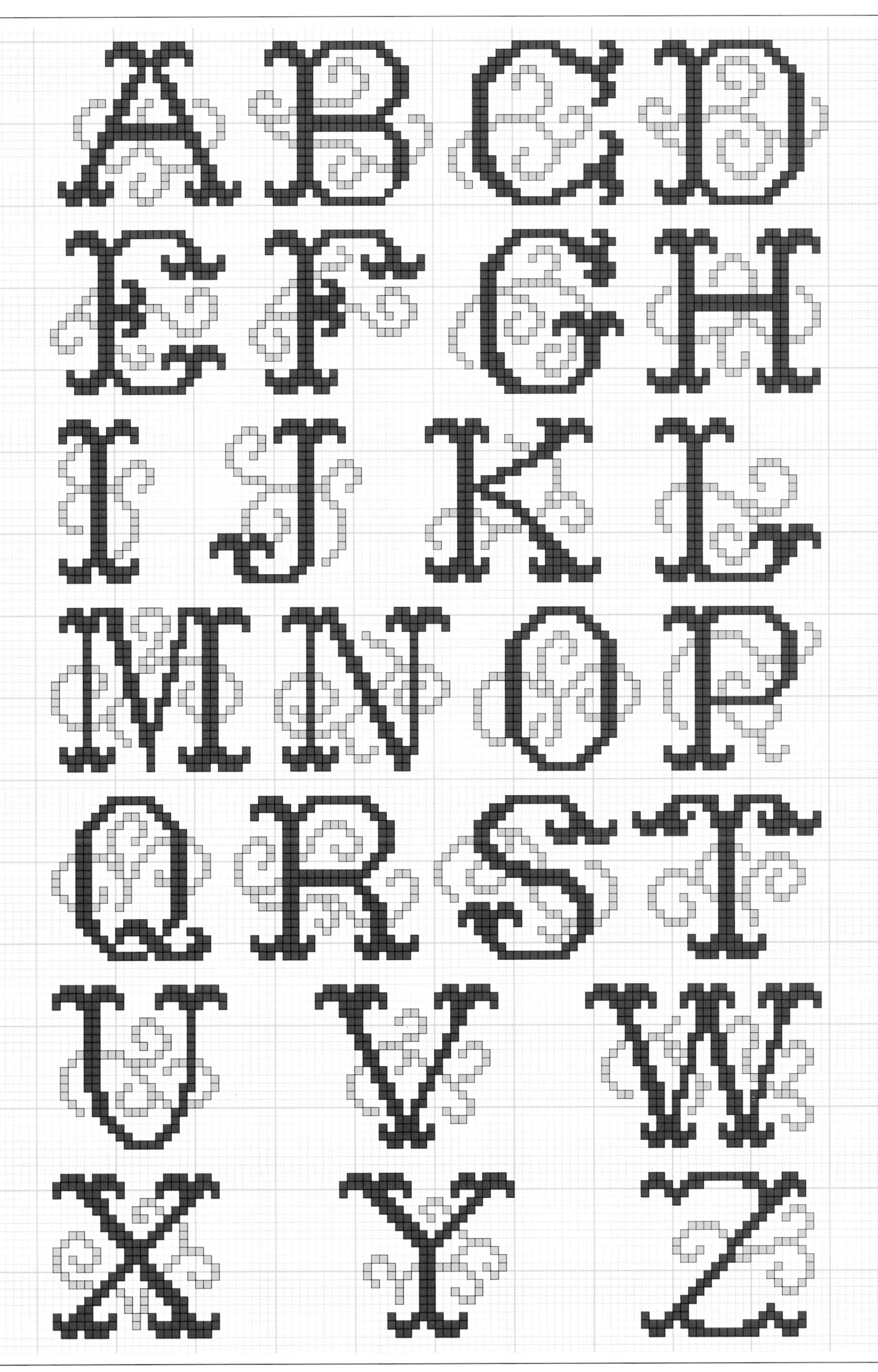

POUR LES ENFANTS

Courtepointe, poupée et draps chiffrés...

Un lit douillet

Pour les nuits fraîches,
une courtepointe molletonnée toute douce.
Choisissez pour la réaliser des rubans assortis
aux couleurs de la chambre de votre enfant.

La *courtepointe*

Repassez les deux pièces de piqué blanc. Sur l'une d'elles, répartissez les morceaux de ruban les plus longs sur toute la longueur, en commençant à 4 centimètres du bord et en les espaçant de 19 centimètres. Epinglez-les en veillant à ce qu'ils soient bien parallèles les uns par rapport aux autres. Disposez ensuite les morceaux de ruban les plus courts sur toute la largeur du tissu, perpendiculairement aux précédents. Commencez également à 4 centimètres du bord, mais espacez-les de 23 centimètres. Epinglez l'ensemble.

Coupez tous les morceaux de ruban et tous les morceaux de biais avant de commencer, ainsi vous pourrez vérifier qu'il ne vous manque rien.

LES FOURNITURES NÉCESSAIRES

- Deux rectangles de piqué blanc et un rectangle de molleton de 85 centimètres de largeur sur 1,25 m de longueur.
- 10 mètres de ruban imprimé de 5 centimètres de largeur dans lequel vous couperez quatre morceaux de 1,25 m de longueur et cinq morceaux de 85 centimètres de longueur.
- 1,50 m de biais de 5 centimètres de largeur dans lequel vous couperez vingt rectangles de 5 centimètres de largeur sur 7 centimètres de longueur.
- Une bobine de fil assortię au ruban imprimé, une bobine de fil assortie au biais et une bobine de fil blanc.

Repliez chacune des deux extrémités
des rectangles de biais préalablement coupés
de manière à obtenir des carrés
de 5 centimètres de côté.
Marquez les plis au fer à repasser.

Posez un de ces carrés sur chaque
intersection de rubans, en glissant chacune
des deux parties repliées sous le dernier
ruban épinglé, c'est-à-dire les rubans
se trouvant dans le sens de la largeur.

Faufilez à larges points toutes les longueurs
de ruban et tous les carrés de biais.

En utilisant un autre tissu que le piqué blanc et d'autres rubans, de satin ou de velours, par exemple, vous pourrez, en suivant le même principe, réaliser une courtepointe d'un style très différent.

Piquez ensuite le long de chacun des côtés
des rubans imprimés avec le fil assorti
à ces derniers, mais ne piquez pas
les carrés de biais, qui restent pour l'instant
uniquement faufilés.

Coupez tous les fils et, au besoin, repassez,
sur l'envers, toutes les coutures que vous
venez de faire.

Posez le rectangle de molleton sur l'envers
du second rectangle de piqué blanc
et épinglez-les.
Superposez ensuite, endroit contre endroit,
le piqué blanc épinglé au molleton
et le piqué blanc sur lequel sont cousus
les rubans. Piquez sur trois des côtés,
à environ 2 centimètres du bord.

Crantez les coins et dégagez les angles, puis
enlevez les épingles du molleton. Retournez
l'ouvrage et repassez-le pour aplatir
les coutures.

Fermez le dernier côté en rentrant les bords
à l'intérieur de l'ouvrage. Piquez avec du fil
blanc sur l'endroit du tissu.

Pour finir, piquez autour des carrés de biais
en prenant toutes les épaisseurs, pour que
le molleton soit bien maintenu à l'intérieur
de la courtepointe. Cette couture donnera
aussi un effet de matelassage.
Sur l'endroit, utilisez le fil assorti au biais
et sur l'envers, du fil blanc, afin qu'il ne
se remarque pas sur le piqué de coton.
Pour arrêter solidement les coutures, faites
un aller-retour de 1 centimètre environ près
de chacun des coins de biais.

Chambre de jeune fille

Faciles à réaliser, un abat-jour et une parure de lit chiffrée pleins de charme.

Le drap et la taie d'oreiller

LES FOURNITURES NÉCESSAIRES

- 2,70 m de dentelle blanche de 3,5 cm de large, 1,90 m de ruban de dentelle blanche identique à la précédente, mais de 6,5 cm de large, et 6,20 m de soutache.

Ces dimensions correspondent à une taie d'oreiller classique de 65 centimètres de côté et à un drap d'une personne de 1,80 m de largeur.

- Deux bobines de fil, une assortie à la soutache et une assortie au drap.
- Un écheveau de coton mouliné DMC assorti à la soutache et un tambour à broder.
- 20 centimètres de tire-fils.

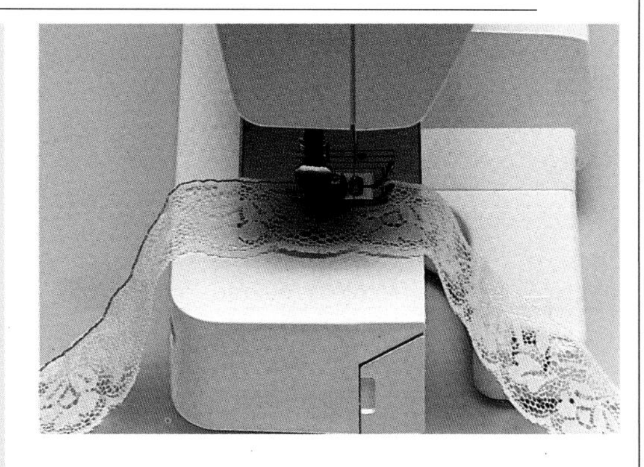

Froncez la dentelle à la machine à coudre. Réglez-la sur le point droit le plus long et piquez la dentelle de 3,5 cm de large sur toute la longueur, à 1 centimètre du bord supérieur. Afin de pouvoir, ensuite, tirer facilement sur le fil de fronce sans risquer de le rompre, ne piquez pas en une seule fois, mais arrêtez la couture tous les mètres environ, puis coupez le fil en laissant une bonne longueur. Renouvelez l'opération jusqu'à ce que vous ayez utilisé toute la dentelle.

Froncez la dentelle, en tirant délicatement sur les fils, de façon à réduire sa longueur de moitié. Epinglez le volant ainsi obtenu sur les quatre côtés de la taie, à 3,5 cm du bord. Piquez au point zigzag.

L'alphabet pour broder les lettres est reproduit en pages 44 et 45. Mais vous pouvez aussi utiliser l'alphabet servant à chiffrer le range-couverts qui se trouve page 35.

Epinglez la soutache sur la couture, au point zigzag, tout autour de la taie d'oreiller. Cousez-la à la main, au point arrière, en utilisant du fil de la même couleur que la soutache.

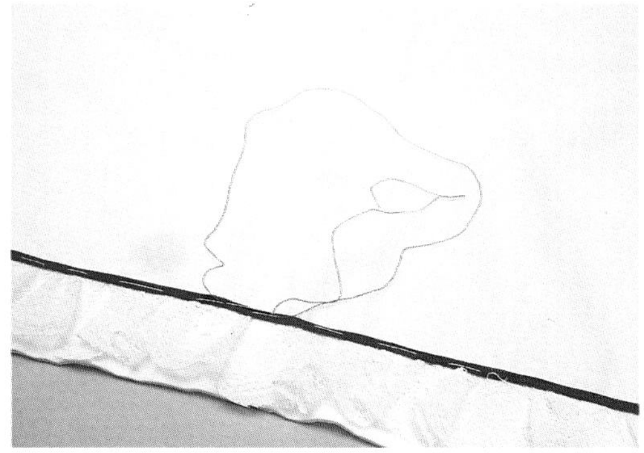

Définissez l'endroit où vous souhaitez broder le chiffre. Vous trouverez en page 32 toutes les instructions nécessaires pour placer correctement le tire-fils et le tambour.

Procédez de la même façon pour réaliser le drap, en fronçant, cette fois, la dentelle de 6,5 cm de largeur. Cousez le volant de dentelle à 7 centimètres du bord supérieur du drap, puis dissimulez cette couture par de la soutache que vous cousez au point arrière. Brodez le chiffre.

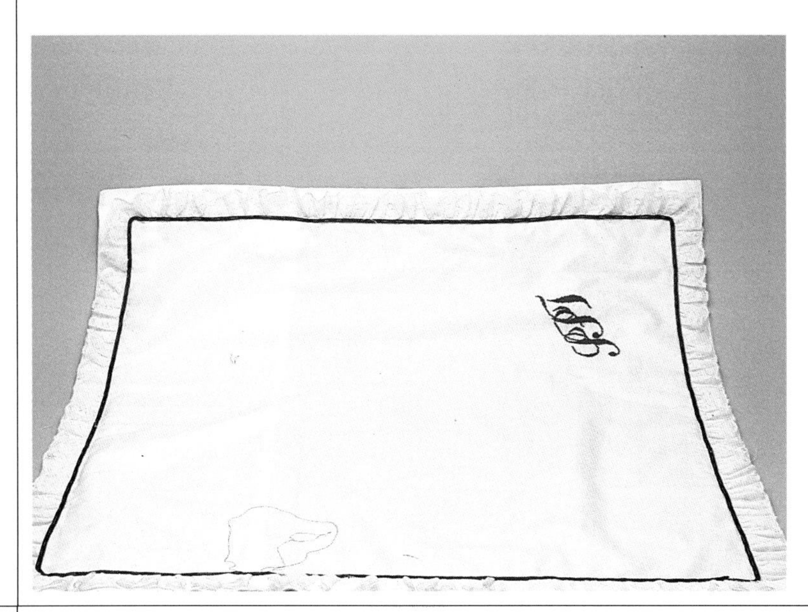

L'abat-jour

Si nécessaire, coupez le piqué aux dimensions indiquées dans les fournitures.

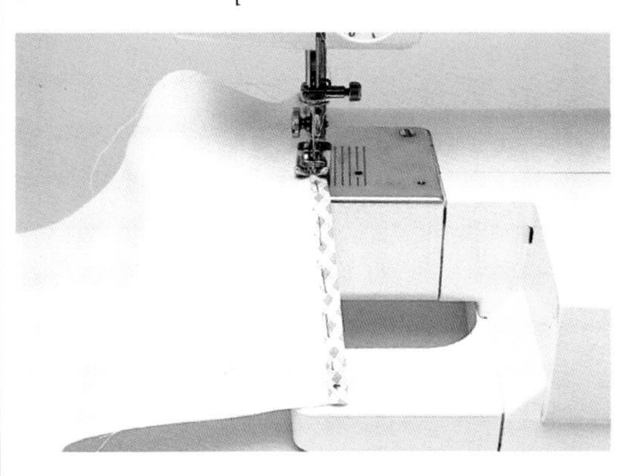

LES FOURNITURES NÉCESSAIRES

- Une carcasse métallique conique.
- Du piqué blanc. Pour calculer la longueur de tissu nécessaire, mesurez la circonférence du cercle de base de la carcasse, plus 2 centimètres. Pour la largeur, ajoutez 5 centimètres à la hauteur de la carcasse.
- Du biais à carreaux : 2 fois la circonférence de l'abat-jour, plus 2 fois sa hauteur, plus 1,20 m pour les rentrés et les nœuds, et 50 centimètres d'élastique rond fin.
- Du fil assorti au biais et une petite épingle de nourrice.

Coupez deux morceaux de biais plus longs que la largeur du piqué de 2 centimètres, et deux autres morceaux plus longs que la hauteur du piqué de 2 centimètres. Faufilez les deux morceaux de biais correspondant à la hauteur, en faisant un rentré à chaque extrémité, puis piquez-les.

De la même façon, faufilez puis piquez les deux morceaux de biais venant sur chacune des deux longueurs, en veillant à ne pas fermer les extrémités, afin de pouvoir y passer l'élastique ultérieurement.

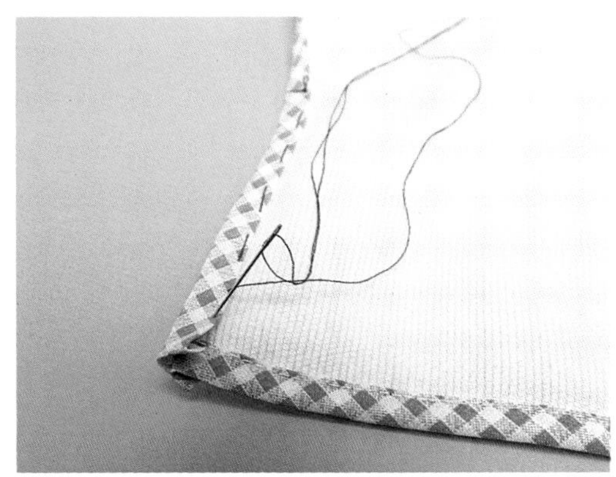

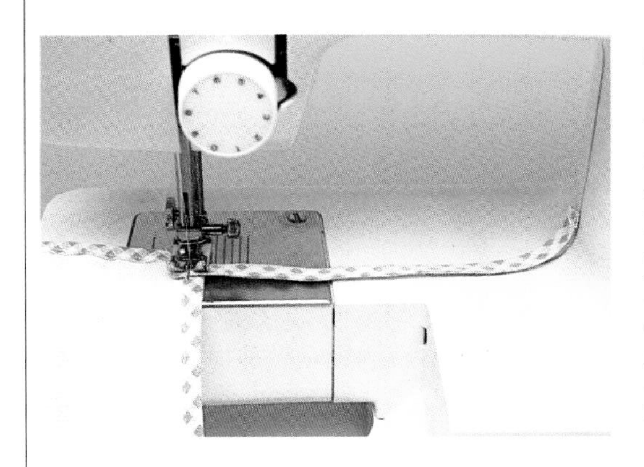

Coupez six morceaux de biais de 16 centimètres de long chacun. Faites un petit rentré à chacune des extrémités, repliez-les dans le sens de la longueur et piquez-les, bord à bord, sur l'endroit. Piquez ces liens de chaque côté du rectangle de piqué, trois de chaque côté en vis-à-vis : le premier en haut, juste au-dessous du biais qui lui est perpendiculaire, le deuxième au milieu, et enfin, le troisième en bas, juste au-dessus du biais qui lui est perpendiculaire.

Enfilez l'élastique sur l'épingle de nourrice et faites-le coulisser à l'intérieur du biais supérieur.
Serrez le plus possible et fermez en nouant les deux extrémités de l'élastique par un triple nœud, que vous dissimulez dans le biais en le poussant avec une aiguille.

Procédez de la même façon pour le biais du bas, mais, avant de fermer l'élastique par un triple nœud, essayez l'abat-jour sur la carcasse et serrez jusqu'à ce que les deux côtés du tissu se rejoignent.
Pour terminer, nouez les trois petits liens.

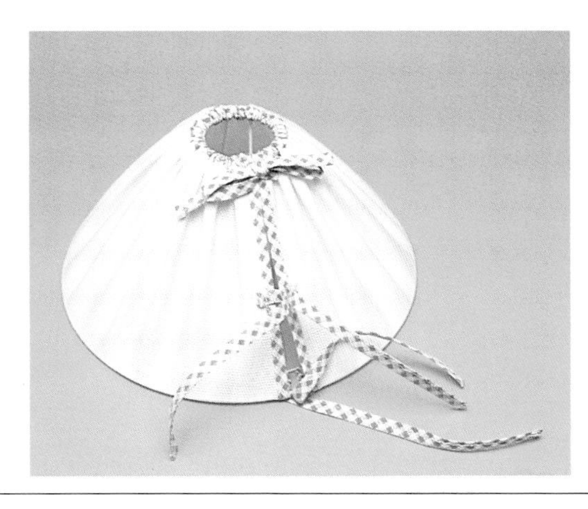

La réalisation de cet abat-jour est d'une extrême simplicité. C'est un excellent modèle pour vous lancer si vous n'avez jamais fait d'abat-jour. Selon le tissu et le biais que vous choisirez, il sera d'un genre très différent : tissu écossais et biais de couleur vive, vichy et biais de vichy d'une autre couleur... Si vous utilisez de la soie ou un tissu très fin, doublez-les soit avec le même tissu, soit avec de la doublure.

Une si jolie poupée

Pour les petites filles qui jouent beaucoup à la poupée, en voici une dont vous pourrez compléter la garde-robe au fur et à mesure de votre inspiration.

Le corps de la poupée

LES FOURNITURES NÉCESSAIRES

- 50 centimètres de toile épaisse beige rosé en 1,40 m de largeur.
- De la fibre synthétique de rembourrage et une grosse aiguille à tricoter pour la tasser dans le corps de la poupée.
- 1 pelote de laine dans des tons orangés foncés, pour les cheveux, et un rectangle de carton fort de 20 centimètres de largeur et de 30 centimètres de longueur.
- Des feutres à mine fine pour le visage, un rose, un rouge, un bleu et un noir.
- Deux bobines de fil, une beige et une assortie à la couleur des cheveux.

Photocopiez le patron du corps de la poupée en suivant les indications d'agrandissement données ci-dessous.
Pliez la toile beige en deux, posez le patron dessus, côté droit le long de la pliure du tissu, et tracez les contours avec une craie de couturière.
A 3 centimètres environ de la première, tracez une seconde forme identique, toujours le long de la pliure du tissu.
Découpez ces deux formes en ajoutant 1 centimètre tout autour pour les coutures.
Vous obtenez ainsi une pièce pour le devant et une pièce pour le dos.

Pour faire une poupée au teint plus mat, vous pouvez utiliser de la suédine, qui existe dans différents tons de beige.

Sur une des deux formes, et sur l'endroit du tissu, faites une petite croix au centre de la tête, avec une craie de couturière.
De part et d'autre de cette croix, dessinez les éléments du visage en vous inspirant du dessin ci-dessous. Appuyez très peu sur les feutres pour obtenir des traits fins et estompés. Le contour des lèvres est rouge, et l'intérieur rose. Les contours des yeux, les cils, les sourcils, très estompés, et les pupilles sont noirs. Les prunelles sont bleues et les taches de rousseur roses rehaussées de petits points noirs très légers.

Effacez la croix et, à l'emplacement de cette dernière, dessinez le nez avec le feutre noir.

Superposez, endroit contre endroit, le devant et le dos de la poupée. Epinglez et faufilez le pourtour, à l'exception de la base du corps, puis piquez à 1 centimètre du bord, en suivant très régulièrement la forme du patron. Laissez également une petite ouverture au sommet du crâne pour pouvoir rajouter du rembourrage avant de fermer la poupée.

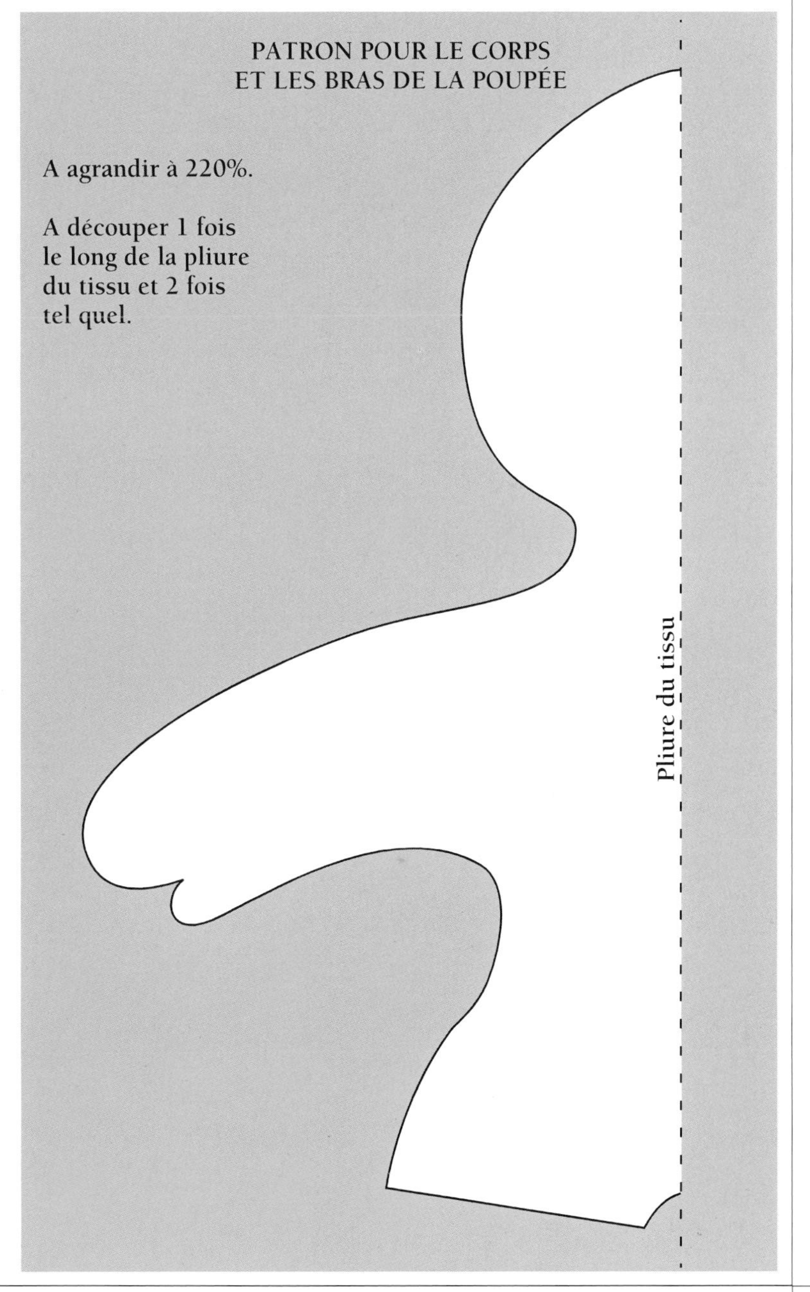

Si quelques termes spécifiques à la couture vous échappent, pensez à vous reporter aux pages pratiques en début d'ouvrage.

Photocopiez le patron des jambes, en suivant les indications ci-dessous, et reportez-le quatre fois sur le tissu. Découpez ces formes, en laissant 1 centimètre tout autour pour les coutures. Assemblez-les deux par deux, endroit contre endroit. Épinglez, faufilez et piquez en laissant libre l'ouverture du haut des jambes.

Crantez toutes les coutures du corps et des jambes. Retournez ensuite chaque élément sur l'endroit et aplatissez les coutures au fer à repasser, en respectant bien les arrondis. Fermez l'entrejambe à petits points. Pour marquer le talon et la plante des pieds, faites une piqûre à 1 centimètre environ de part et d'autre de la couture centrale du dessous de pied.

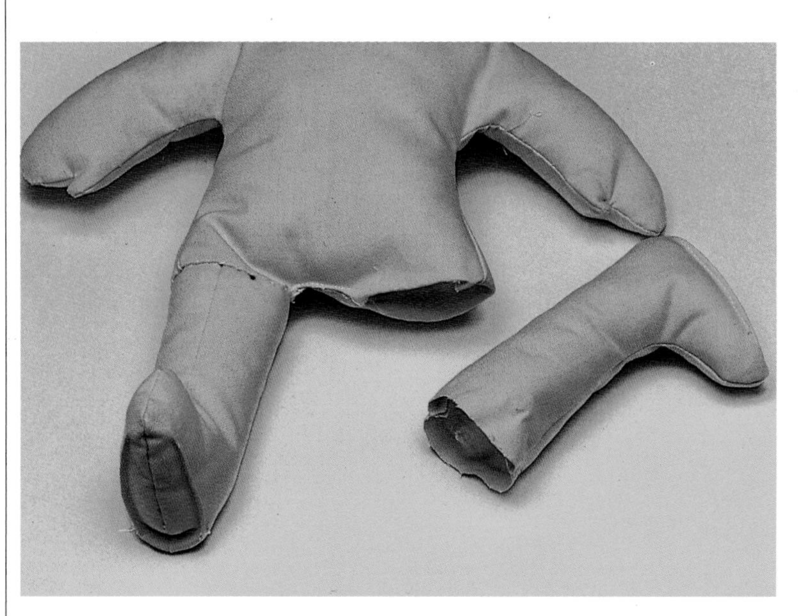

Ne faites pas le tour complet, arrêtez cette couture à environ 2 centimètres du bout du pied, pour qu'il conserve sa forme ronde.

Faites un petit rentré au bord de chaque cuisse et aplatissez-le au fer à repasser. Remplissez l'intérieur du corps et celui des jambes en tassant bien. Aidez-vous de l'aiguille à tricoter pour aller jusqu'au bout des pieds.

Enfilez chaque jambe dans les hauts de cuisse sur 1 centimètre, épinglez-les et faites une solide couture à la main à petits points.

Si les hauts de cuisse ne vous semblent pas assez étoffés, tassez une dernière fois le rembourrage avec l'aiguille à tricoter, en passant par le sommet du crâne, puis fermez ce dernier par une couture à la main.

Terminée, cette poupée mesure 45 centimètres de hauteur environ. Vous pouvez très bien la réaliser dans une taille différente. Il vous suffira de photocopier les deux patrons dans les mêmes proportions.

PATRON POUR LES JAMBES DE LA POUPÉE

A agrandir à 220%

A découper 4 fois

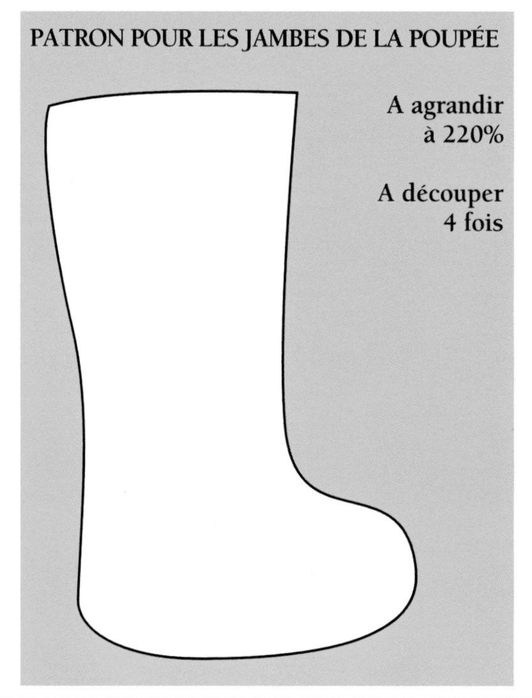

La chevelure

Les cheveux sont faits de deux parties superposées en croix. La première constitue la frange et les cheveux habillant l'arrière du crâne, la seconde le dessus du crâne et les mèches que vous tresserez ensuite en nattes.

Commencez par préparer une petite bande de toile beige de 4 centimètres de largeur sur 9 centimètres de longueur sur laquelle vous coudrez les deux écheveaux de brins de laine que vous allez constituer.

Pour la frange et le dessus du crâne, enroulez la laine autour du rectangle de carton, une vingtaine de fois, dans le sens de la longueur.
Coupez les fils à une seule des extrémités du carton et retirez-le, en veillant à ce que l'écheveau reste parfaitement plié en deux ; le côté non coupé formera la frange.

Placez cet écheveau, dans le sens de la longueur, sur la petite bande de toile beige. Laissez dépasser de la toile le côté non coupé de l'écheveau d'environ 5 centimètres, pour constituer la frange.
Répartissez bien les brins de laine sur les 4 centimètres de largeur, puis fixez l'écheveau sur la toile en piquant perpendiculairement tous les 3 centimètres.
Avec vos doigts, appuyez bien sur les brins de laine de chaque côté du pied de biche de la machine pour que celui-ci ne les entraîne pas en piquant.

Vous pouvez éventuellement faire des nattes plus longues. Dans ce cas, veillez à prévoir suffisamment de laine.

Pour faire les mèches des nattes, reprenez le rectangle de carton et enroulez la laine vingt fois autour. Coupez les fils à une extrémité, et, cette fois, dépliez l'écheveau. Faites ainsi cinq autres écheveaux de vingt tours chacun.

Placez tous ces écheveaux perpendiculairement par-dessus les brins de laine précédents, leur milieu étant centré sur la largeur de la bande de toile.
Positionnez le premier écheveau au bord de la toile, côté franges. Placez ensuite les autres écheveaux côte à côte pour couvrir la longueur de la bande.
Répartissez harmonieusement les brins de laine et piquez. Ces piqûres centrales formeront la raie du milieu.
Epinglez la chevelure sur la tête de la poupée, fixez-la à gros points avec la même laine, puis tressez les nattes.

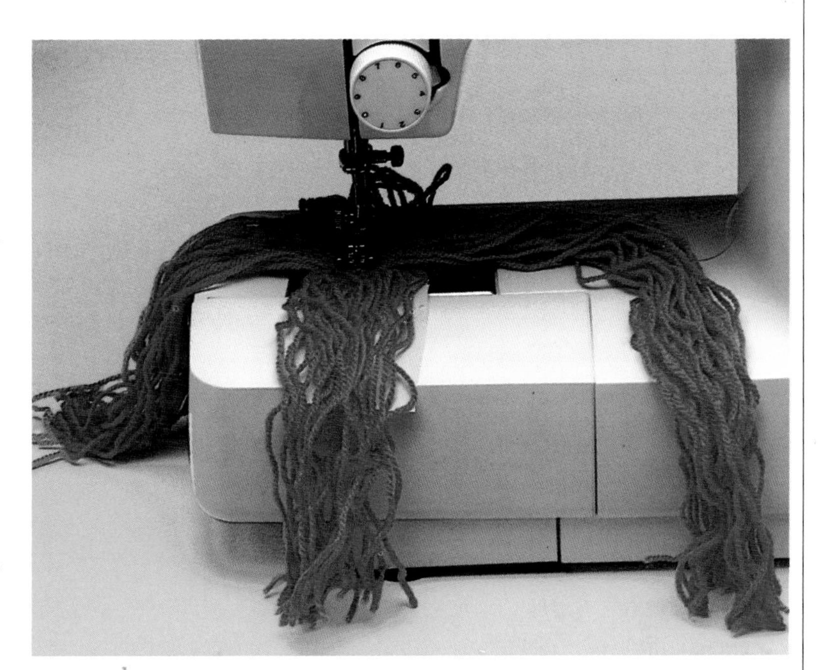

Le *panty*

LES FOURNITURES NÉCESSAIRES

- Deux rectangles de coton blanc de 20 centimètres de largeur sur 25 centimètres de longueur.
- Une bobine de fil blanc.
- Une épingle de nourrice.
- 25 centimètres d'élastique plat et 20 centimètres d'élastique rond fin.
- 60 centimètres de petite dentelle blanche de 1 centimètre de largeur.

Reportez le gabarit ci-contre sur chacun des rectangles de coton blanc. Découpez ces deux pièces en laissant 1 centimètre de marge tout autour pour les coutures.

GABARIT POUR LE PANTY

A découper 2 fois

Avec le même patron que celui du panty, et selon la même méthode, vous pourrez réaliser un pantalon en ajoutant 5 centimètres à chaque jambe. Ne froncez pas le bas de celles-ci, mais faites un petit ourlet.

Superposez les deux parties du panty, endroit contre endroit, et piquez-les en faisant les coutures de côté, puis la couture d'entrejambe.
Crantez cette dernière, puis surfilez les deux coutures. Retournez l'ouvrage sur l'endroit, et aplatissez les coutures au fer à repasser.
Faites un double rentré de 1 centimètre en haut du panty, puis piquez-le très près du bord inférieur, en laissant une ouverture de 2 centimètres environ.
Glissez l'élastique à l'intérieur à l'aide d'une épingle de nourrice, piquez ses deux extrémités ensemble, puis fermez l'ouverture laissée dans la ceinture par un point à la main.

Surfilez le bas de chaque jambe et faites un rentré de 1 centimètre en marquant la pliure au fer à repasser.

Coupez deux morceaux de dentelle de 30 centimètres de longueur. Passez un fil de fronce le long de chacun et tirez délicatement afin de réduire la longueur de 10 centimètres.

Cousez soigneusement à la main, sur l'endroit, chaque volant de dentelle au bas des jambes du panty. Cette couture à petits points permet de fixer en même temps le rentré préalablement formé.
Enfin, passez une aiguillée d'élastique rond sur le pourtour des jambes, à 2 centimètres au-dessus du volant de dentelle, pour froncer le bas du panty.

La robe rayée et le fichu

LES FOURNITURES NÉCESSAIRES

- 50 centimètres de tissu fin en 1,10 m de largeur dans les coloris de votre choix.
- Une bobine de fil assortie au tissu et de l'élastique fin.
- Un petit morceau de ruban, pour le nœud sur l'encolure de la robe, un petit bouton et une aiguillée de coton perlé pour faire la bride pour le bouton.

PATRON POUR L'EMPLACEMENT DES PLIS DE LA ROBE ET DU CHEMISIER

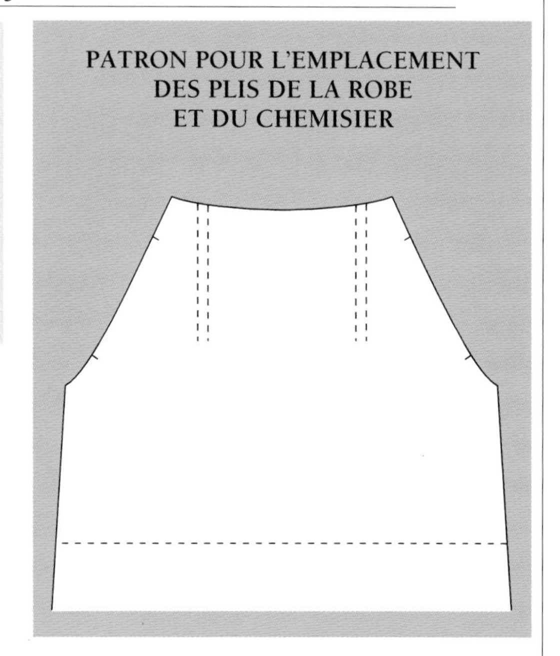

Pour la disposition des pièces d'un patron sur le tissu, reportez-vous aux pages pratiques, en début d'ouvrage.

Photocopiez le patron de la page suivante, découpez-le et reportez-le, le long de la pliure du tissu, pour le devant de la robe. Tracez les contours, à la craie de couturière, puis découpez en laissant 1 centimètre pour les coutures. Dépliez le tissu et reportez-y à nouveau deux fois le patron du dos, puis quatre fois celui des manches. Découpez ces six pièces en laissant 1 centimètre pour les coutures.

Marquez, avec la craie de couturière, les repères des plis du devant, comme le montre le dessin ci-dessus, à droite. De la même manière, marquez les repères de montage des manches sur le dos et le devant. Ils sont indiqués sur le patron de la page suivante.

Formez les quatre plis plats, deux de chaque côté, venant sur le devant de la robe en rentrant, sur chaque repère de pli, le tissu de 0,5 cm.
Epinglez et marquez ces plis au fer à repasser puis surpiquez-les au fil blanc sur 7 centimètres à partir de l'encolure.

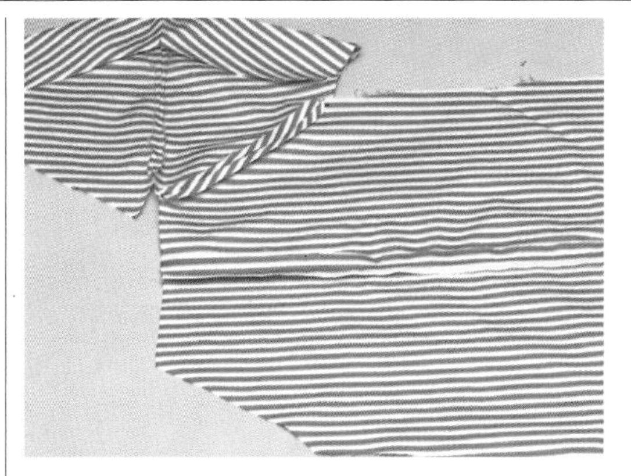

Superposez les deux pièces du dos, endroit contre endroit. Piquez et arrêtez la couture à 10 centimètres de l'encolure. Assemblez, endroit contre endroit, les deux morceaux de chaque manche par une piqûre sur l'épaule.

Assemblez les manches au dos et au devant en superposant les pièces, endroit contre endroit, et épinglez-les en faisant coïncider les repères. Piquez un petit rentré au bas des manches, aplatissez-les au fer à repasser, puis repliez à nouveau le bas des manches de 3 centimètres sur l'envers. Surpiquez avec du fil blanc.

Dans le reste du tissu, découpez une bande de 6 centimètres de largeur sur 30 centimètres de longueur, rayures parallèles à la largeur. Pliez cette bande en deux dans le sens de la longueur, marquez la pliure au fer. Faites un rentré à chaque extrémité, puis aplatissez au fer à repasser. Passez un fil de fronce à environ 5 millimètres du bord et froncez de façon à ramener la longueur à celle du tour d'encolure.

A partir du patron ci-dessous, vous pouvez réaliser plusieurs variantes : ajouter un volant ou de la dentelle dans le bas, ne pas froncer les manches...

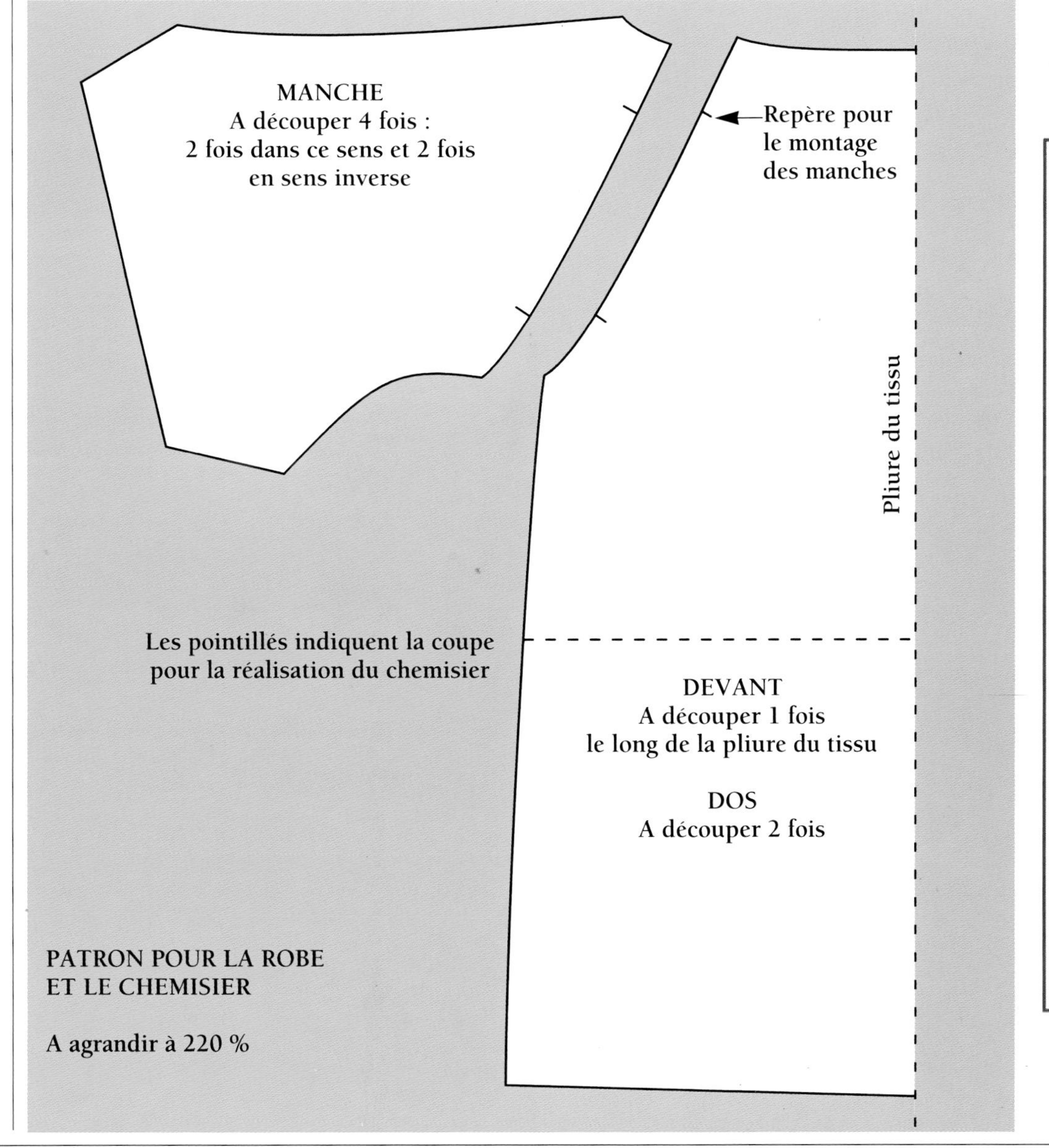

Si vous choisissez, comme ici, un tissu rayé, veillez à ce que les rayures coïncident bien lorsque vous assemblerez les différentes pièces de la robe. De même, pour découper la bande qui servira à faire l'encolure, veillez à ce que les rayures soient parallèles à la largeur du tissu.

Avec les chutes de tissu des vêtements, confectionnez des petits rubans que vous pourrez nouer au bas des nattes de la poupée.

Epinglez, endroit contre endroit, la base froncée du volant au bord de l'encolure. Ajustez, répartissez harmonieusement les fronces, puis piquez.
Surfilez toute la longueur de la bande en prenant les trois épaisseurs de tissu. Rabattez-les contre l'intérieur de l'encolure, puis aplatissez au fer à repasser pour redresser le volant. Surpiquez.

Epinglez, endroit contre endroit, les côtés du dos et du devant de la robe.
Faites les coutures en partant de l'extrémité des manches, parfaitement ajustées, jusqu'au bas de la robe.
Aplatissez au fer à repasser, crantez sous les bras et surfilez. Ourlez le bas de la robe.

Au dos de la robe, au niveau de l'encolure, cousez un petit bouton d'un côté et sur l'autre, faites une petite bride avec une aiguillée de coton perlé.
Faites un petit nœud avec un morceau de ruban et cousez-le sur le devant de la robe.

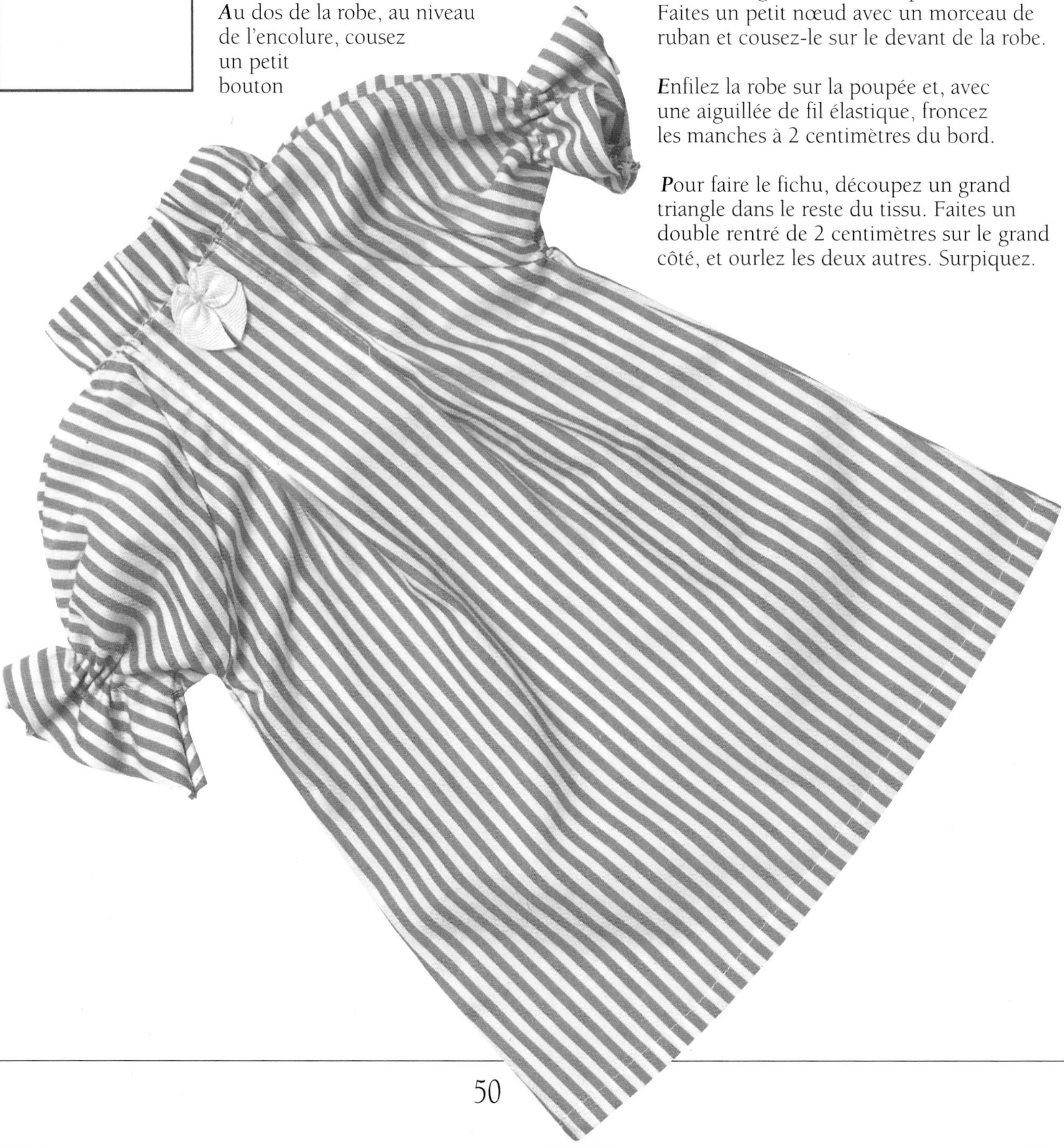

Enfilez la robe sur la poupée et, avec une aiguillée de fil élastique, froncez les manches à 2 centimètres du bord.

Pour faire le fichu, découpez un grand triangle dans le reste du tissu. Faites un double rentré de 2 centimètres sur le grand côté, et ourlez les deux autres. Surpiquez.

Le chemisier

Le chemisier est réalisé d'après le même patron que celui de la robe, figurant page 49. Il est bien sûr beaucoup plus court : sa longueur est indiquée en pointillé sur le patron.

En revanche, les plis du devant sont différents. Pour former celui du centre, repliez le devant en deux, envers contre envers, puis faites une couture verticale de 4 centimètres de longueur, à 1 centimètre de la pliure du milieu. Posez le devant à plat, sur l'endroit. Aplatissez le tissu du pli de chaque côté de la couture et surpiquez les deux plis ainsi obtenus sur 4 centimètres de longueur. A 2 centimètres de part et d'autre de ce double pli central, créez un pli plat en rentrant 5 millimètres de tissu et surpiquez sur 4 centimètres également.

L'encolure n'a pas de volant, elle est uniquement bordée d'un biais de couleur. Pour les explications concernant la pose du biais, reportez-vous à la page 17.

Le nœud qui garnit le devant est réalisé dans le même biais que celui de l'encolure. Prenez un morceau de 15 centimètres de biais, et coupez les extrémités en biseau.

Ouvrez le biais pour doubler sa largeur, repassez-le, pliez-le de façon à former un nœud plat, cousez un petit bouton de la couleur de la chemise au milieu. Fixez le nœud sur le pli central, à 4 centimètres sous l'encolure. N'oubliez pas le petit bouton et la bride du dos.

Les manches sont réalisées de la même façon que celles de la robe, mais elles ne sont pas froncées.

LES FOURNITURES NÉCESSAIRES

- 50 centimètres de tissu de coton blanc en 1,40 m de largeur.
- 40 centimètres de biais vert foncé de 2 centimètres de largeur.
- Une bobine de fil blanc et une bobine de fil vert.
- Une aiguillée de coton à broder pour réaliser la bride au dos du chemisier.
- Deux petits boutons.

Selon le tissu que vous utiliserez, ce chemisier peut prendre des allures très différentes : un tissu blanc très fin en fera une petite chemise légère, un tissu plus épais, comme ici, en fera plus un vêtement d'hiver. Mais vous pouvez aussi choisir des rayures ou des motifs fleuris. Faites aussi des variantes sur l'encolure ou en bas des manches avec de la dentelle ou un petit motif brodé au point de croix.

Le *tablier*

LES FOURNITURES NÉCESSAIRES

- Un carré de tissu de 30 centimètres de côté dans le coloris de votre choix.
- 65 centimètres d'un ruban de broderie anglaise peu large.
- Du fil assorti au tissu.

Reportez le gabarit du tablier reproduit ci-dessous sur le tissu.
Découpez-le, en ajoutant 1 centimètre tout autour pour les coutures.
Passez un fil de fronce dans le haut du tablier, de manière à réduire sa largeur à 10 centimètres.

Epinglez le bord non brodé du ruban de broderie anglaise, endroit contre endroit, sur le pourtour du tablier, en faisant de petits plis réguliers tous les 1,5 cm environ.
Piquez à environ 1 centimètre du bord, en suivant bien l'arrondi.
Surfilez les deux épaisseurs de tissu et de ruban de broderie anglaise ensemble.
Rabattez-les côté tablier et aplatissez-les au fer à repasser.

Pour faire la ceinture du tablier, découpez une bande de 6 centimètres de largeur sur 75 centimètres de longueur dans le même tissu. Pliez-la en deux dans la longueur, épinglez-la, endroit contre endroit, et piquez-la en laissant une petite ouverture d'une quinzaine de centimètres au centre.
Piquez les extrémités en pointe et retournez la ceinture sur l'endroit.
Repassez la ceinture et marquez des petits rentrés de chaque côté des 15 centimètres que vous n'avez pas cousus.
Posez ces derniers à cheval sur le haut froncé du tablier et les extrémités de la broderie, de manière à cacher ces dernières.
Epinglez et surfilez, puis surpiquez le tout en une seule fois.

GABARIT DU TABLIER

A découper 2 fois

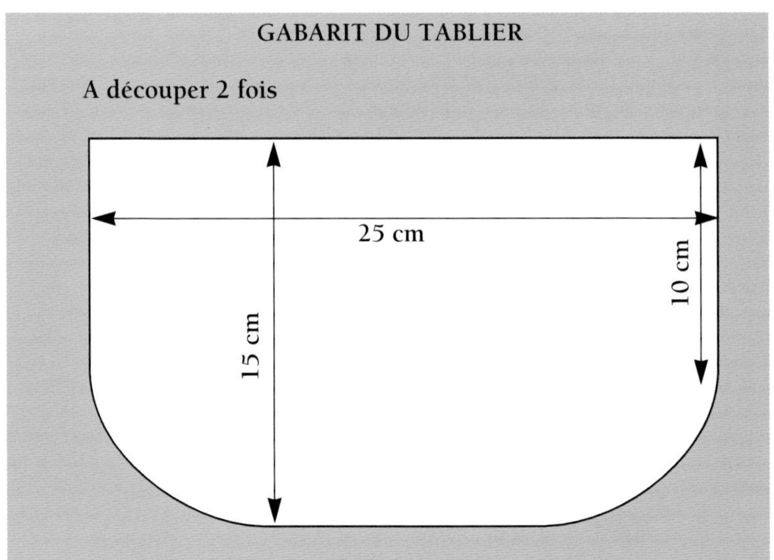

Les *chaussons*

LES FOURNITURES NÉCESSAIRES

- Un carré de tissu de 15 centimètres de côté.
- Du fil assorti au tissu.
- 36 centimètres de biais, pour les chaussons qui en sont bordés.

PATRON DU CHAUSSON

A agrandir à 170 %
A découper 4 fois pour une paire

Photocopiez le patron des chaussons en suivant les indications données page ci-contre. Découpez-le quatre fois fois dans le tissu, en laissant 1 centimètre tout autour pour les coutures.

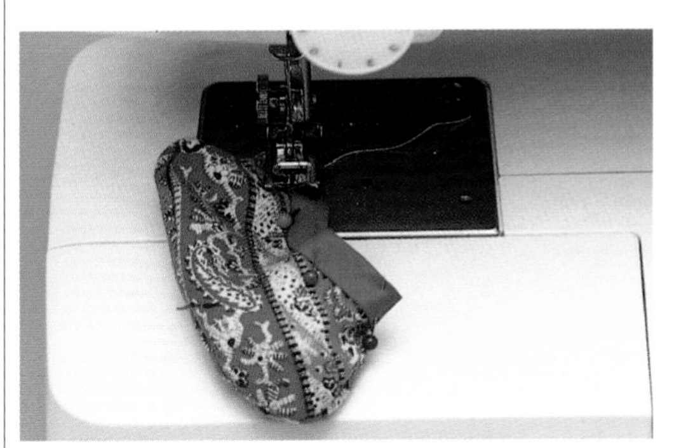

Assemblez les morceaux deux par deux, endroit contre endroit, en les piquant du dessus de pied au talon. Crantez les arrondis, retournez l'ouvrage, surfilez et aplatissez la couture au fer à repasser.

Pour la pose du biais, découpez ce dernier en deux morceaux de 18 centimètres de longueur chacun. Repassez-les en les pliant en deux dans le sens de la longueur. Piquez-les à cheval sur le pourtour de chacun des chaussons, en recouvrant, à la fin de la piqûre, la première extrémité avec la seconde.
Faites quelques petits points au niveau du talon, pour éviter que l'extrémité ne s'effiloche.

La jupe

LES FOURNITURES NÉCESSAIRES

- 10 centimètres de tissu en 1,40 m de largeur dans le coloris de votre choix.
- Une bobine de fil assortie au tissu et une épingle de nourrice.
- 45 centimètres de biais assorti au tissu et 23 centimètres d'élastique plat.

Découpez deux rectangles dans le tissu : l'un de 10 centimètres de largeur sur 44 centimètres de longueur, pour faire le haut de la jupe, et l'autre de 10 centimètres de largeur sur 87 centimètres de longueur pour le volant. Cette fois, ourlets et coutures sont compris dans ces mesures.

Sur une des longueurs du grand rectangle, passez un fil de fronce, puis froncez jusqu'à la réduire de moitié. Superposez le rectangle du haut et le volant, endroit contre endroit. Ajustez avec précision la longueur du volant sur celle du rectangle.

Epinglez, puis piquez à 1 centimètre du bord, côté froncé. Surfilez les deux épaisseurs ensemble. Rabattez-les sur le rectangle du haut et aplatissez-les au fer à repasser. Le long de cette couture, sur l'endroit, côté rectangle plat, posez 45 centimètres de biais et surpiquez le long de chaque bord. Endroit contre endroit, faites la couture de côté, pour fermer la jupe. Surfilez.

Faites un double rentré de 1 centimètre en haut de la jupe, piquez-le très près du bord, en laissant une ouverture de 2 centimètres pour l'élastique.

Passez l'élastique plat à l'aide d'une épingle de nourrice. Piquez les deux extrémités de l'élastique ensemble, puis fermez l'ouverture laissée dans la ceinture par une couture à la main. Ourlez le bas du volant.

Pour le passage des fils de fronce, reportez-vous à la page 16.

POUR LA MAISON
Abat-jour,
coussins et
store à volants...

Matières précieuses et chatoyantes

En soie irisée, en forme de soleil ou de lune,
des coussins luxueux mais, pour certains, non dénués d'un certain humour…

Le coussin en soie à pompons

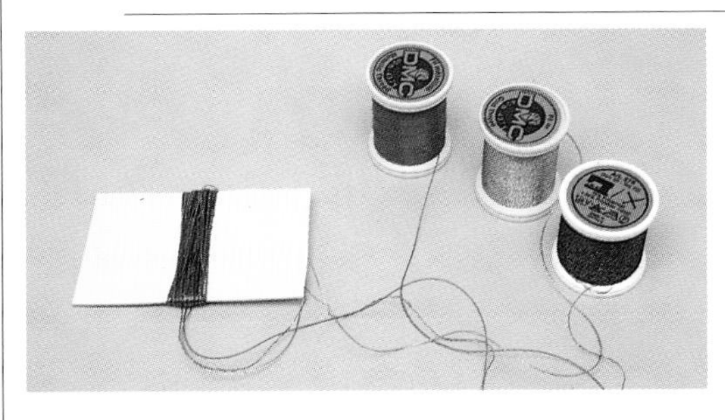

Commencez par les pompons en enroulant ensemble les fils métallisés des trois couleurs autour du rectangle de carton. Faites quatre-vingts tours environ en serrant bien les fils et coupez-les au ras du carton.

Prenez ensuite une aiguillée de coton perlé et passez-la entre le carton et les fils.

Coupez les fils au ras du carton en les tenant avec la main pour qu'ils ne s'échappent pas.

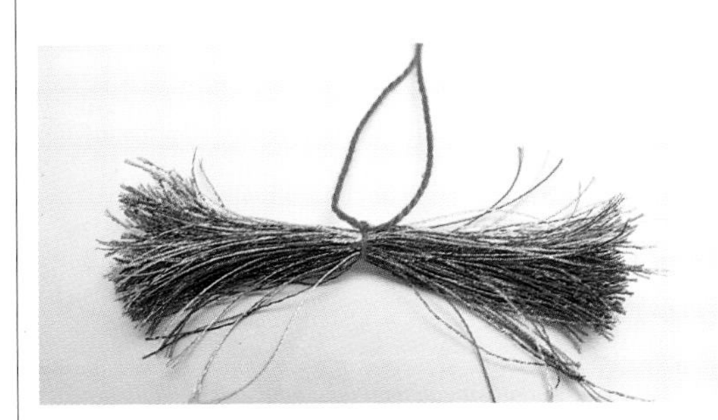

Faites plusieurs tours avec le coton perlé au milieu du faisceau de fils métallisés ainsi obtenu et finissez par un nœud solide.
Ne coupez pas le coton perlé pour l'instant.

LES FOURNITURES NÉCESSAIRES

- 1,30 m de soie en 1 mètre de largeur. Vous pourrez choisir, comme ici, de la soie moirée.
- 1,30 m de toile beige en 1 mètre de largeur pour doubler la soie.
- 2,30 m de passepoil de 10 millimètres de diamètre.
- Deux bobines de fil, une assortie à la soie et une d'une autre couleur.
- Du fil métallisé DMC, deux bobines or clair (Art. 282), deux bobines rouges (Art. 270) et deux bobines vertes (Art. 269), et deux aiguillées de coton perlé DMC n° 3 d'une couleur assortie à la soie pour nouer les pompons.
- Un petit morceau de carton fort de 6 centimètres de largeur sur 12 centimètres de longueur.
- De la fibre synthétique de rembourrage.

GABARIT DU COUSSIN A POMPONS

A reproduire 2 fois dans la soie et 2 fois dans la toile

longueur : 60 cm

largeur : 40 cm

Repliez le faisceau de fils métallisés en deux et faites une douzaine de tours au sommet du pompon avec du fil métallique de la couleur de votre choix. Egalisez les fils à la base du pompon et faites les trois autres pompons de la même façon.

La brillance du fil métallisé s'accorde bien avec la soie. Mais, si vous voulez des pompons plus gros, vous pouvez utiliser du coton perlé.

La soie est un tissu fin et fragile. Pour lui donner une bonne tenue, il est toujours préférable de la doubler avec un tissu de coton un peu épais.

Il existe des pieds-de-biche spéciaux pour coudre les passepoils qui s'adaptent sur toutes les machines à coudre. *Reportez-vous à la page 13.*

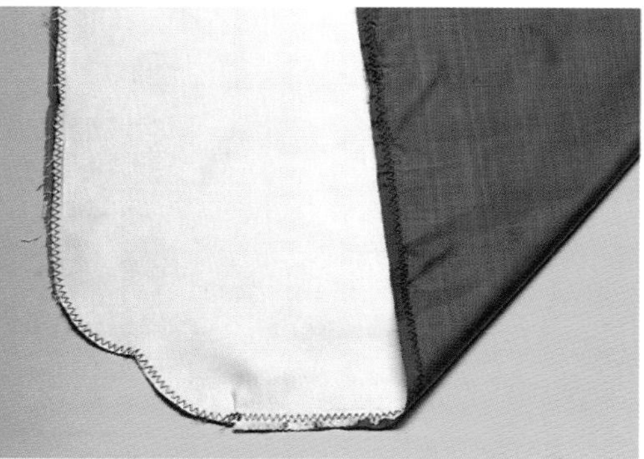

Dessinez sur un papier le gabarit du coussin reproduit à la page précédente. Découpez-le et, avec une craie de couturière, reportez-le deux fois sur la soie et deux fois sur la toile beige. Découpez chaque pièce de tissu en prévoyant 2 centimètres pour les coutures. Superposez, envers contre envers, une pièce de soie et une pièce de toile beige. Piquez-les ensemble au point zigzag. Faites de même avec les deux autres pièces.

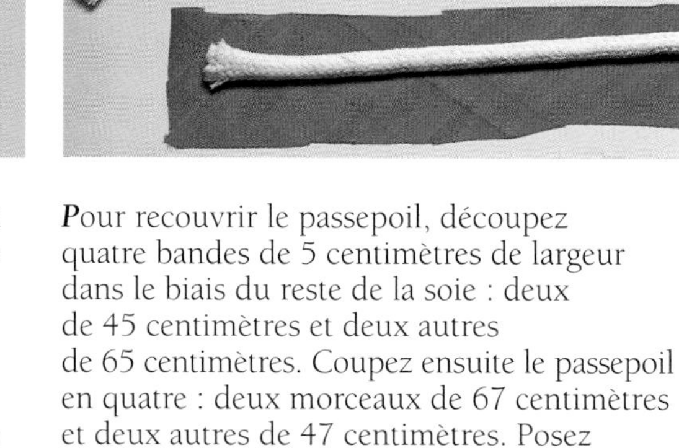

Pour recouvrir le passepoil, découpez quatre bandes de 5 centimètres de largeur dans le biais du reste de la soie : deux de 45 centimètres et deux autres de 65 centimètres. Coupez ensuite le passepoil en quatre : deux morceaux de 67 centimètres et deux autres de 47 centimètres. Posez chaque morceau de passepoil sur l'envers des bandes de soie et fermez en faufilant sur l'endroit avec du fil de couleur.

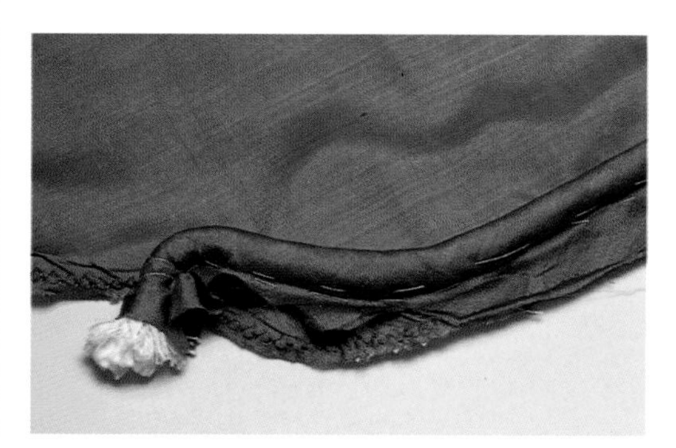

Posez une des deux faces du coussin à plat et positionnez un premier passepoil sur un des côtés, au bord, côté faufilé vers l'extérieur du tissu.
Le passepoil doit bien épouser les arrondis de l'angle et son extrémité doit ressortir au milieu de la forme rentrante de l'angle.

Faufilez le passepoil dans l'angle, puis sur toute sa longueur, et faites l'angle opposé de la même manière.

Faites les mêmes opérations pour le passepoil suivant. Cette préparation est très importante, car c'est le garant du résultat final. Faufilez un pompon à chaque angle, seuls les deux brins de coton perlé situés au sommet des pompons dépassant de l'ouvrage.

Posez l'autre face du coussin, endroit contre endroit.
Réglez votre machine pour la couture du passepoil et piquez tout le long de chaque côté, en laissant une ouverture d'une vingtaine de centimètres sur un des côtés.

Retournez l'ouvrage, retirez tous les faufils, puis remplissez le coussin.
Fermez-le à la main avec une couture à points invisibles.

Le coussin soleil

Pliez le tissu or en deux dans le sens de la largeur et marquez légèrement le pli au fer. Ce pli vous servira de repère pour une bonne position du patron. Photocopiez ce dernier en suivant les indications données ci-dessous et découpez-le.

Pour l'avant du coussin, épinglez le patron du cercle sur l'envers du tissu, en plaçant son centre sur le pli marqué au fer, puis tracez le rond à la craie de couturière. Epinglez ensuite le patron des rayons du soleil autour de celui du cercle et tracez également les contours.

Pour l'arrière du coussin, pliez les patrons du cercle et des rayons en deux et reportez-les deux fois sur le tissu. Procédez comme pour le dessus du coussin, en plaçant d'abord les demi-cercles, que vous tracez à la craie de couturière, puis les rayons.

Coupez le soleil entier en prévoyant, pour les coutures, 2 centimètres autour des rayons. Coupez ensuite les deux demi-soleils en prévoyant, pour les coutures, 2 centimètres non seulement autour des rayons, mais également du côté plat des demi-cercles.

Superposez les deux moitiés de soleil, endroit contre endroit, et épinglez-les : elles doivent s'ajuster parfaitement avec le soleil entier.

LES FOURNITURES NÉCESSAIRES

- 60 centimètres de tissu façonné dans des tons ors ou mordorés en 1,40 m de largeur.
- 50 centimètres de viseline thermocollante épaisse en 1,40 m de largeur.
- 1 mètre de croquet doré.
- Deux bobines de fil, une jaune et une de couleur vive, pour faire les faufils.
- De la fibre synthétique de rembourrage.

Piquez-les ensemble en laissant une petite ouverture au milieu. Aplatissez la couture sur l'envers au fer à repasser.
Passez ensuite un faufil de couleur vive sur le tracé du cercle.

La viseline donne de la tenue aux tissus mous, pensez à l'utiliser avec des tissus souples comme le jersey. Elle existe en plusieurs qualités, plus ou moins épaisses.

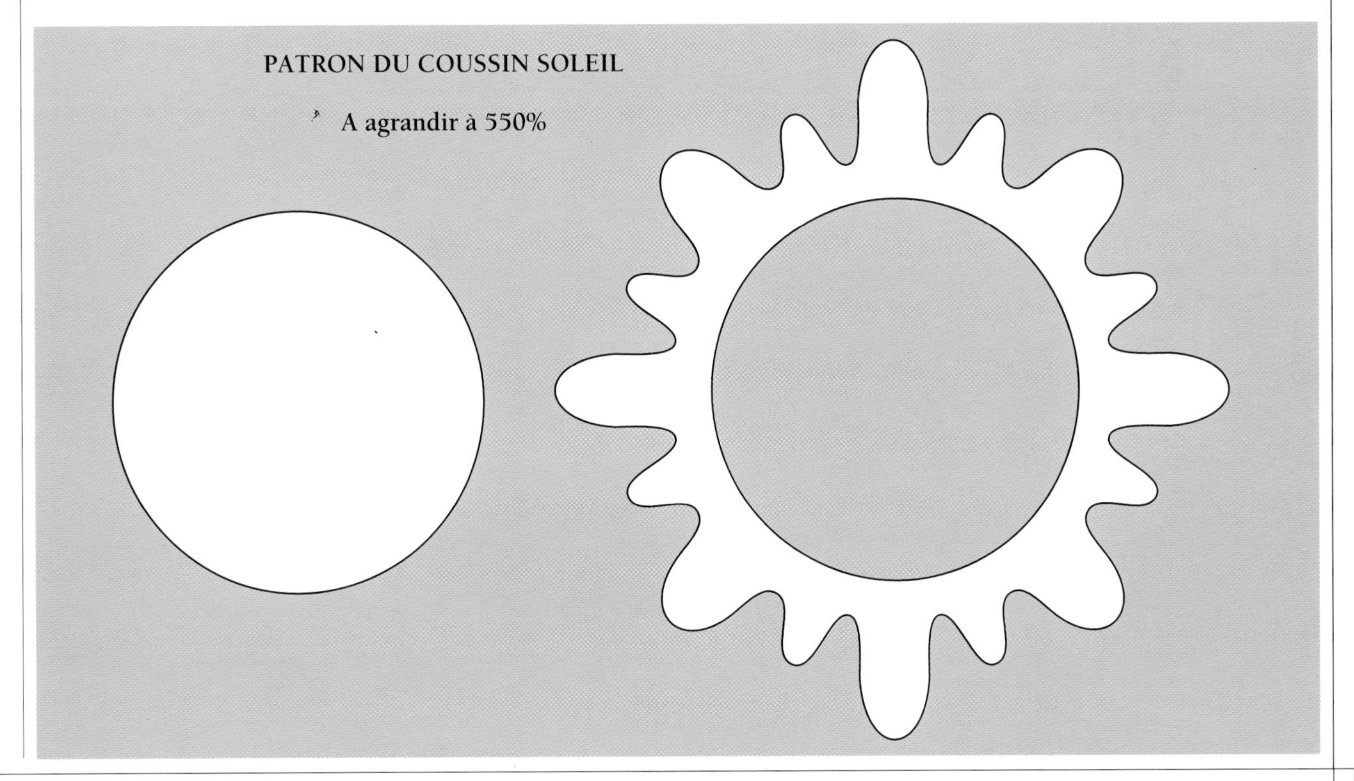

Vous pouvez faire le devant et le dos du soleil dans deux tissus différents, l'un uni et l'autre pas.

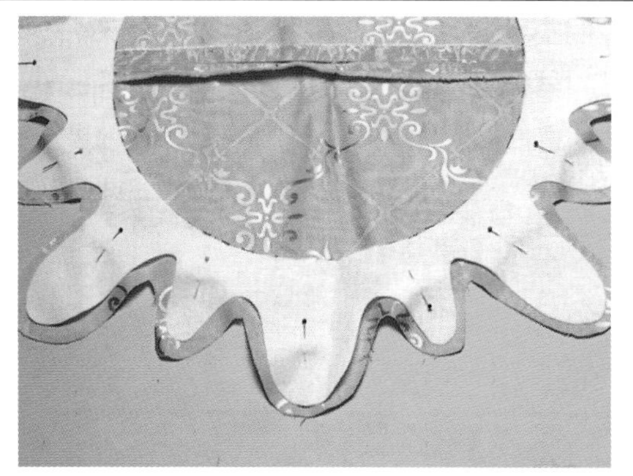

Reprenez le patron des rayons du soleil et reportez-le sur la viseline.
Découpez-la en suivant exactement le tracé.
Il est important que vous découpiez la viseline avec précision, car sa forme vous servira de guide pour la couture d'assemblage du coussin.
Vous devez évider le centre du soleil.

Posez la viseline sur l'envers du dos du coussin et épinglez-la soigneusement, en suivant le tracé du cercle et la forme des rayons.

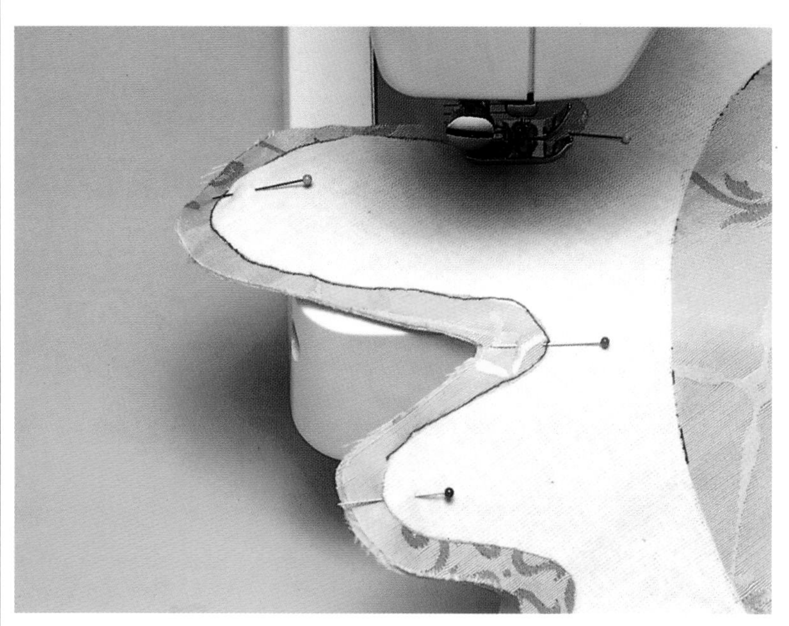

Superposez les deux soleils, endroit contre endroit, en faisant correspondre les rayons des deux côtés du coussin. Piquez tout autour en suivant le bord de la viseline, qui doit également être pris dans la couture.

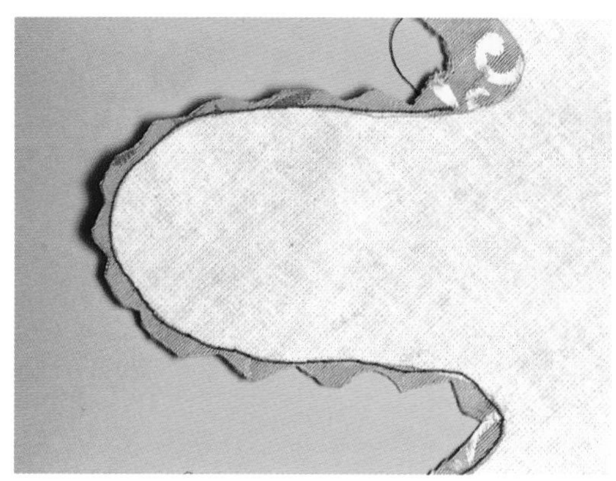

Ne réglez pas le fer à repasser au maximum de sa puissance pour coller la viseline. S'il est trop chaud, la viseline va brunir et durcir comme du carton. Il vaut mieux un fer tiède, mais que vous laissez plus longtemps sur la viseline, pour qu'elle adhère bien.

Piquez ensuite le cercle central du soleil, en suivant le faufil de couleur que vous avez précédemment mis en place.
Cette couture retiendra le rembourrage à l'intérieur du soleil et évitera qu'il ne se répande dans les rayons.

Cousez le croquet doré sur l'avant du coussin, toujours en suivant le faufil, puis enlevez ce dernier.

Otez les épingles de la viseline et collez-la en repassant. Crantez soigneusement tous les rayons du soleil.
Retournez votre ouvrage et repassez-le à nouveau, afin de bien écraser les coutures et de faire ressortir les rayons du soleil.

Remplissez le coussin de fibre synthétique et fermez-le par des petits points invisibles.

Le *coussin lune*

Photocopiez le patron en suivant les indications données ci-dessous. Reportez-le deux fois sur le tissu argenté en marquant les contours à la craie de couturière. Découpez les deux formes de lune en prévoyant 2 centimètres tout autour pour les coutures.

Coupez ensuite deux morceaux de passepoil argenté : un de 1,30 m de longueur et un de 70 centimètres de longueur.
Sur l'endroit de l'un des côtés du coussin, disposez sur chaque bord les morceaux de passepoil de taille correspondante.
Veillez à bien les aligner sur le trait de craie fait à 2 centimètres du bord, bord argenté vers l'intérieur du coussin.
Epinglez, puis faufilez avec du fil de couleur vive.

Placez l'autre côté du coussin sur celui qui comporte le passepoil, endroit contre endroit, et piquez en suivant le faufil de couleur. Laissez une ouverture de 20 centimètres sur le plus petit des côtés.
Otez le faufil et crantez les bords.
Retournez le coussin et remplissez-le.
Fermez par des petits points invisibles.

LES FOURNITURES NÉCESSAIRES

- 50 centimètres de tissu façonné argenté en 1,40 m de largeur.
- 2 mètres de passepoil argenté.
- 2 bobines de fil, une grise et une de couleur vive.
- De la fibre synthétique de rembourrage.

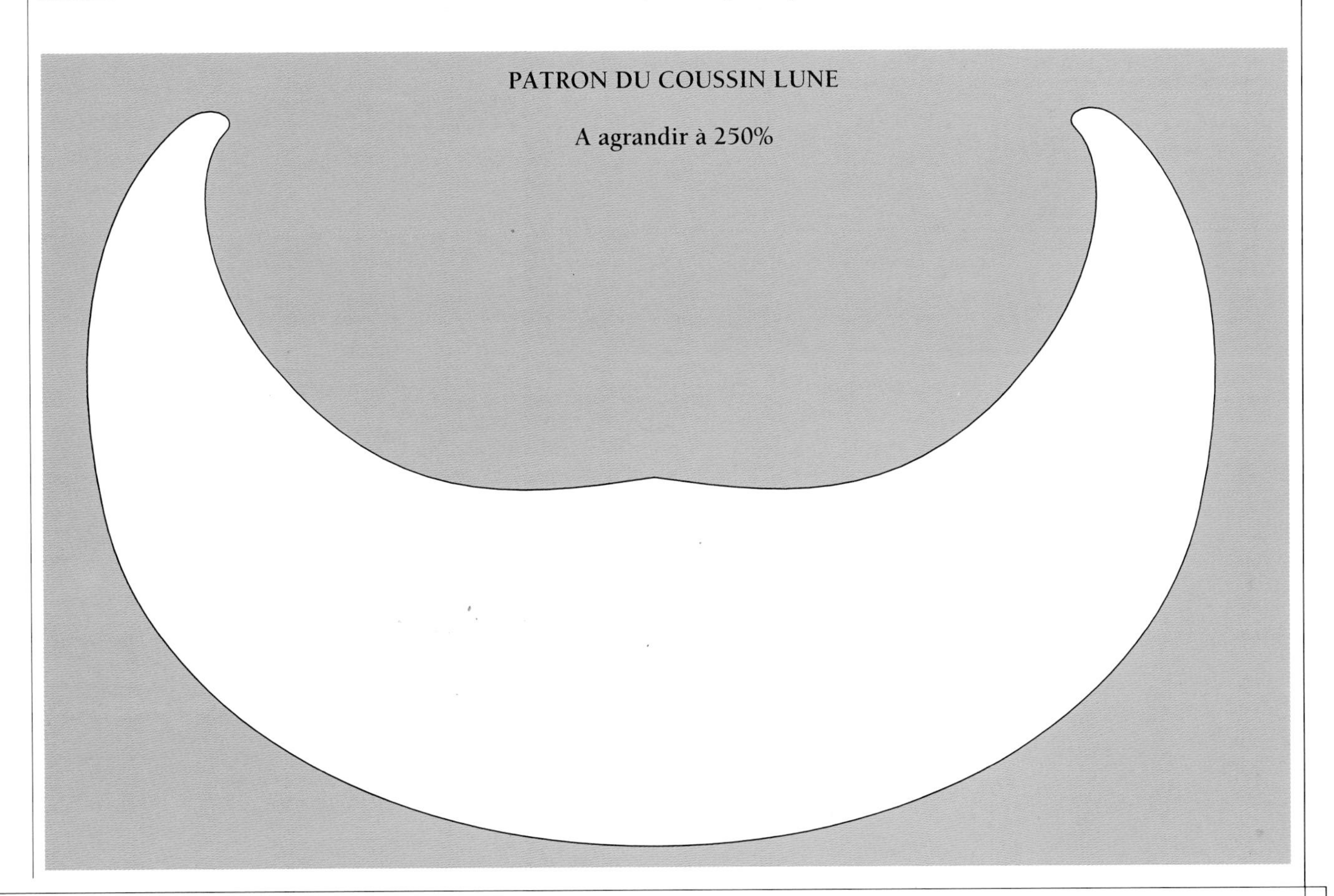

Des sièges bien habillés

C'est aux détails que l'on reconnaît une maison raffinée. Outre leur côté confortable, ces housses enjoliveront de simples tabourets ou chaises.

La housse de tabouret

La hauteur de la bande de toile qui borde l'assise est déterminée par l'épaisseur de la galette de mousse. Si vous choisissez cette dernière plus épaisse que celle qui est préconisée ici, vous devrez faire le calcul suivant pour obtenir les bonnes dimensions : épaisseur de la galette, plus 3 centimètres, plus 1 centimètre pour la couture.

LES FOURNITURES NÉCESSAIRES

Les dimensions des différentes pièces qui constituent la housse dépendent de celles du tabouret que vous souhaitez recouvrir. Vous trouverez ici, à titre indicatif, les métrages correspondant à un tabouret moyen d'une hauteur de 42 centimètres dont l'assise est carrée et mesure 32 centimètres de côté.

- 1 mètre de toile épaisse en 1,40 m de largeur.
- Une galette de mousse carrée de 40 centimètres de côté et de 2 centimètres d'épaisseur. Un stylo-feutre pour y tracer le patron et un cutter pour la couper.
- 21 mètres de biais et 1,50 m de passepoil à habiller vous-même. Bien entendu si, dans le modèle de biais que vous choisirez, vous trouvez aussi le passepoil, inutile de réaliser vous-même ce dernier.
- Deux bobines de fil, une assortie au biais et l'autre pour les faufils.

Faites le patron de l'assise du tabouret en le retournant à plat sur un morceau de papier. Tracez-le au crayon et découpez-le. Au besoin, arrondissez légèrement les angles. Posez ce patron sur la galette de mousse et tracez-le avec un stylo-feutre. Coupez bien droit avec un cutter.

Epinglez le patron sur la toile. Tracez ses contours à la craie de couturière, en ajoutant 5 millimètres tout autour, afin que la housse soit ajustée à la forme en mousse. Coupez autour de ce tracé, en ajoutant 1,5 cm.

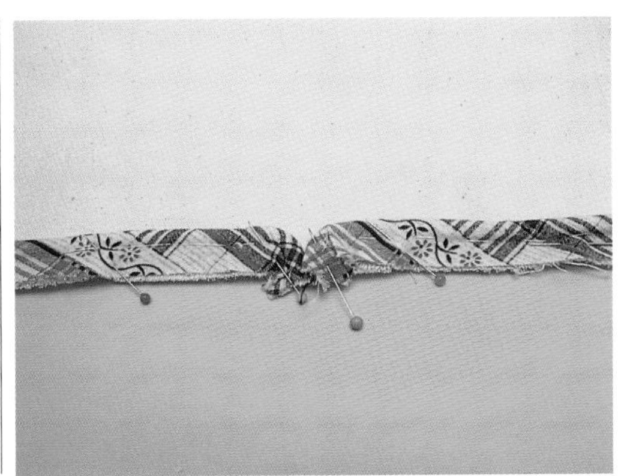

Confectionnez le métrage de passepoil nécessaire, ici 1,50 m. Si les dimensions du tabouret sont différentes, comptez quatre fois son côté, plus 2 centimètres.

Epinglez le passepoil sur le pourtour de la toile, bord à bord, côté endroit, en plaçant les extrémités au milieu d'un des côtés.
Faufilez en suivant le repère du pourtour avec précision.
Piquez et faites un petit rentré aux extrémités, que vous fermez à la main à petits points.

La confection d'un passepoil est expliquée dans les pages pratiques, en début d'ouvrage.

Choisissez de préférence une toile épaisse, qui résistera bien aux lavages successifs.

Pour faire la bande autour de l'assise, coupez une bande de toile de 6 centimètres dans toute la largeur de la toile. Cette mesure variera en fonction de l'épaisseur de la galette de mousse, reportez-vous à l'encadré de la page 64. Surfilez cette bande sur une de ses deux longueurs.
Pliez en deux, dans le sens de la longueur, 1,40 m de biais ; aplatissez le pli au fer.
Posez ce biais à cheval sur la longueur de la toile, côté surfilé.
Piquez-le le plus près possible du bord.

A l'une des extrémités de la bande de toile, marquez un rentré de 2 centimètres au fer à repasser. En positionnant le pli de ce rentré sur le raccord du passepoil, épinglez bord à bord, endroit contre endroit, la bande de toile, côté non orné de biais, sur le pourtour de l'assise. Le passepoil est ainsi pris entre les deux épaisseurs de toile, celle de l'assise et celle de la bande.
Pour fermer la bande, laissez le rentré couvrir 2 centimètres de chaque côté, sur l'envers, et coupez le surplus éventuel.
Faites une couture à la main, à petits points.
Faufilez l'ensemble, puis piquez sur tout le pourtour, en suivant la couture précédente, qui a servi à fixer le passepoil sur l'assise.
Faites bien attention à prendre dans la couture les deux rentrés de la petite ouverture verticale et les extrémités du passepoil.

Pour déterminer la largeur des bandes verticales du tabouret, divisez la longueur d'un côté de l'assise en quatre. Pour leur hauteur, mesurez celle du tabouret, plus 5 centimètres. Vous ferez l'ajustement par un essayage en place.

Coupez seize bandes dans la toile.
Leurs dimensions sont, ici, de 8 centimètres de largeur (l'assise du tabouret mesurant 32 centimètres de côté) et de 47 centimètres de hauteur (la hauteur du tabouret étant de 42 centimètres).
Ces dimensions pourront varier en fonction de l'assise et de la hauteur du tabouret (reportez-vous à l'encadré ci-contre).
Surfilez chacune de ces bandes sur tout leur pourtour.

Posez le biais sur trois côtés de chaque bande, en conservant sa largeur initiale sur l'endroit de la toile (photo ci-contre, en haut) : l'un des rentrés venant à cheval sur le bord de la bande, il habille l'envers seulement d'une fine bordure de biais (photo ci-contre, en bas).
Formez les angles avec soin.
Faites une première piqûre sur le côté envers, de façon à bien piquer dans la petite largeur du biais. Faites-en une seconde, sur l'endroit, au plus près du bord intérieur.

Lorsque toutes les bandes sont prêtes, posez la mousse sur le tabouret, puis enfilez l'assise de la housse.
Epinglez les bandes verticales sous la bande horizontale, en réglant soigneusement leur hauteur pour qu'elle soit identique pour toutes.
Piquez-les toutes en une seule fois, au niveau du biais horizontal, afin que la couture soit le moins visible possible.
Coupez le surplus de tissu en haut de chaque bande et surfilez ces dernières afin qu'elles ne s'effilochent pas.

Pour réaliser cette housse, vous pouvez également utiliser du biais et du passepoil de couleurs différentes.

La housse de chaise

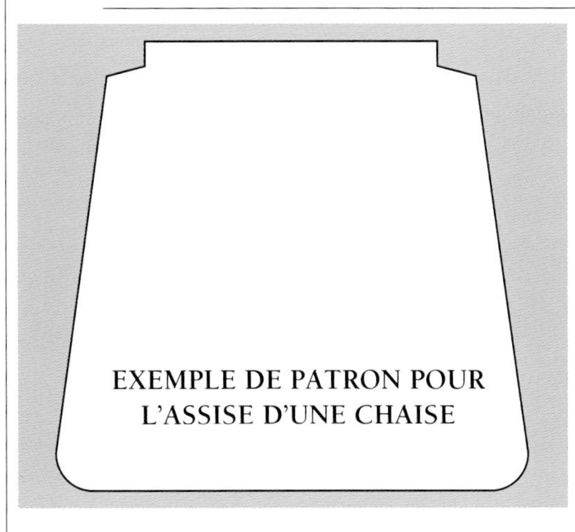

Toutes les chaises n'étant pas faites de la même façon, il n'existe pas de patron type permettant de confectionner une housse adaptée à toutes les chaises. Inspirez-vous du croquis ci-dessus pour dessiner le patron de l'assise de votre chaise : relevez la forme de l'assise en traçant le contour au crayon sur un morceau de papier, puis découpez-le.

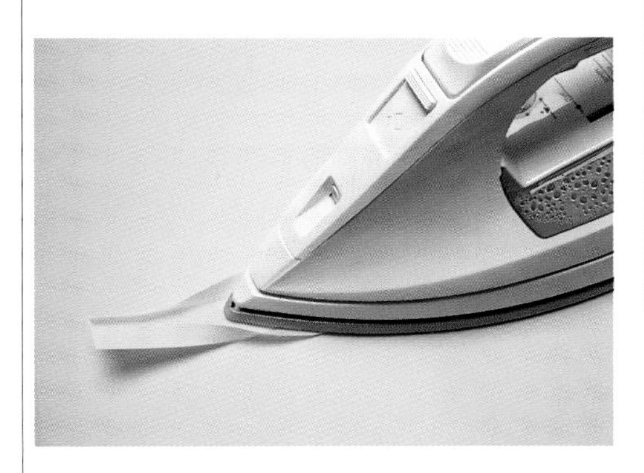

Ouvrez le biais au fer à repasser et mesurez sa largeur. Epinglez le patron sur le tissu, tracez ses contours à la craie de couturière et découpez-le en ajoutant la moitié de la largeur du biais tout autour.

LES FOURNITURES NÉCESSAIRES

- 70 centimètres de tissu en 1,40 m de largeur.
- 1,50 m de passepoil et 1,50 m de biais pour habiller ce dernier.
- Deux bobines de fil, une assortie au biais et une pour les faufils, et un bouton.

En suivant le même principe, vous pourrez aussi confectionner une housse avec un volant dentelé à angles droits. Si vous réalisez des housses pour des chaises destinées à la même pièce, faites des variantes. Par exemple, si l'une est unie, vous utiliserez, pour le passepoil, le tissu ayant servi à faire la housse d'une autre chaise. Choisissez des tissus identiques, mais de coloris différents.

Tout en formant le passepoil, épinglez le biais bord à bord, côté endroit, sur le pourtour de l'assise, en plaçant les extrémités à l'angle du côté arrière. Faufilez et piquez, puis fermez les extrémités du passepoil à petits points.

Réalisez de la même façon le volant arrière.

Crantez les coutures des arrondis sur toute leur longueur.
Retournez-les et aplatissez les coutures au fer à repasser, en marquant les arrondis.

Photocopiez le patron du volant en suivant les indications ci-dessous. Posez-le sur le tissu et marquez le pourtour à la craie de couturière.
Coupez ainsi six formes, en ajoutant à chaque fois 1 centimètre pour les coutures pour les volants du devant et ceux des côtés. Pour le volant arrière, coupez deux formes en vous arrêtant à trois arrondis.

Prenez trois des pièces identiques et assemblez-les par leurs hauteurs, endroit contre endroit. Piquez et aplatissez ces coutures au fer à repasser.
Procédez de la même façon avec les trois pièces restantes.
Epinglez ensemble ces deux longueurs de volant, endroit contre endroit. Faufilez sur le tracé des arrondis, en laissant ouvert le côté droit. Piquez sur les arrondis.

Marquez d'une épingle le milieu du volant et le milieu du devant de l'assise.
Faites coïncider ces repères, épinglez, puis faufilez bord à bord, endroit contre endroit, le volant sur les trois côtés de l'assise.
Le passepoil se trouve ainsi pris entre le volant et l'assise.

A l'arrière des côtés, ajustez la longueur des volants sur celle de l'assise. En fonction de la forme et de la taille de la chaise, vous ne vous y prendrez pas de la même façon (reportez-vous à l'encadré ci-contre).

En principe, si la chaise a des proportions classiques, et si vous avez respecté les indications du taux d'agrandissement pour le patron du volant, vous devez avoir, de chaque côté, un demi-arrondi en trop. Il vous faut donc couper le volant sur sa hauteur, bien verticalement, en ajoutant 1 centimètre pour pouvoir faire des rentrés.

Si ces proportions ne correspondent pas, vous avez deux solutions. Soit la forme de la chaise est telle qu'elle supportera un jeu de quelques centimètres, qui sera de toute façon amoindri par un petit lien de fermeture que vous fixerez ensuite. Dans ce premier cas, procédez comme ci-dessus.

Soit vous coupez l'arrondi pour qu'il s'arrête juste au montant de la chaise, en veillant à bien à couper de la même manière des deux côtés.

Selon l'ajustement que vous aurez eu à faire, vous aurez de toute façon marqué des rentrés de 1 centimètre de chaque côté du volant. Epinglez-les seulement pour l'instant et aplatissez-les au fer à repasser.
Procédez de la même façon pour mettre en place et ajuster le volant de l'arrière de l'assise en centrant un arrondi du volant. Cela vous permettra d'obtenir une découpe symétrique une fois le volant ajusté sur la longueur.
Les conseils donnés dans l'encadré de la page ci-contre sont également valables pour ce volant. Faufilez ensemble les pourtours du volant et de l'assise. Piquez et surfilez.

Si la housse que vous réalisez a plus un aspect décoratif qu'un côté utilitaire, il n'est pas nécessaire de coudre la patte de maintien du dessous. En revanche, si vous devez utiliser souvent la chaise que vous recouvrez, cette patte sera très pratique, car la housse ne glissera pas et, par là même, ne se détériorera pas prématurément.

Les *finitions* pour la *fixation* de la housse

Coupez 1 mètre de biais, pliez-le en deux dans la longueur, puis aplatissez au fer à repasser. Piquez au plus près du bord. Coupez quatre longueurs identiques, et faites un rentré à l'une des extrémités, que vous fermez à petits points. Glissez un morceau de biais entre chacune des deux épaisseurs épinglées du volant. Repérez la hauteur à laquelle il faut le placer pour le nouer autour des montants du dossier. Epinglez et piquez au plus près du bord, en une fois, les côtés des volants avec les biais en place.

Coupez deux bandes de tissu de 10 centimètres de largeur sur 30 centimètres de longueur. Pliez-les dans la longueur, et piquez tout du long, à 1 centimètre du bord. Retournez-les et aplatissez-les au fer à repasser en plaçant les coutures au milieu d'une des faces. Faites un rentré à une des extrémités. Piquez. Sur l'envers, contre le volant, faufilez, bord à bord et au milieu du devant de l'assise, le petit côté non ourlé d'une bande.
Piquez sur la couture existante. Surfilez. Faites la même chose avec l'autre bande, au milieu du côté arrière.
A environ 1,5 cm de l'extrémité d'une des bandes, réalisez une boutonnière à la taille du bouton choisi.

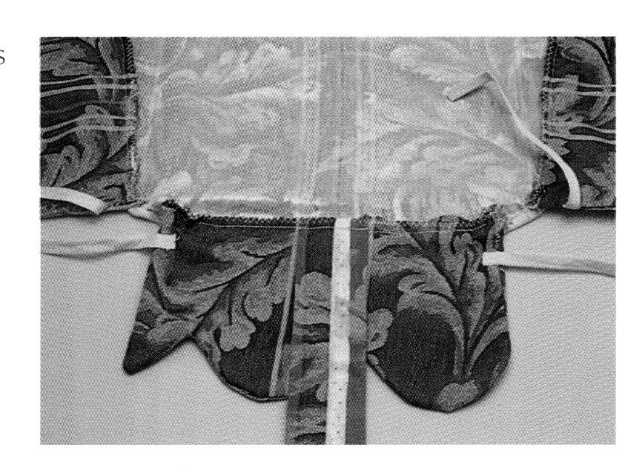

Mettez la housse en place sur la chaise et faites quelques essais pour repérer l'endroit où coudre le bouton sur l'autre bande pour assurer un bon maintien.

PATRON DU VOLANT

Vous devez agrandir ce patron à la photocopieuse de manière que sa longueur corresponde à la largeur de l'avant de l'assise de la chaise. Vous devrez donc faire le calcul en fonction du patron que vous avez dessiné. Voici quelques repères pour vous aider :

- en agrandissant à 160 %, vous obtiendrez une largeur de volant de 8 centimètres ;
- à 220 %, une largeur de volant de 11 centimètres ;
- à 280 %, une largeur de volant de 14 centimètres.

Créations uniques

Transformez-vous quelques heures en styliste, le temps de créer, à partir d'une simple toile blanche, des rideaux que vous serez certaine de ne pas voir ailleurs que chez vous.

Le rideau

Coupez la toile blanche aux dimensions de la fenêtre. Si vous êtes obligée d'assembler deux lés pour obtenir une largeur suffisante, peignez-les d'abord, vous les piquerez ensuite. Mettez la toile dans la machine à laver sur un programme de rinçage et d'essorage courts, afin de lui donner juste l'humidité nécessaire pour être peinte.

LES FOURNITURES NÉCESSAIRES

- De la toile blanche épaisse. Les dimensions dépendent de la fenêtre à laquelle vous destinez le rideau (reportez-vous aux indications données dans les pages pratiques, en début d'ouvrage).
- Deux flacons de peinture Décotissu, un jaune d'or et un écarlate, et deux pinceaux de peintre plats et larges.
- Deux bobines de fil, une jaune pâle et une autre pour les faufils.
- De la Ruflette, une longueur égale à la largeur de chacun des rideaux, et autant de crochets à rideaux que votre tringle à rideaux comporte d'anneaux.
- Du papier-calque, un crayon de papier et du carton fin pour découper les pochoirs.
- Un cutter pivotant et de la colle en bombe repositionnable.
- De la peinture pour tissu Pébéo Setacolor, vert émeraude, ocre rouge, rose Bengale et jaune citron, et quatre brosses à pocher.

Dans deux récipients différents contenant chacun 1 litre d'eau, diluez respectivement deux bouchons de peinture jaune d'or et deux bouchons de peinture écarlate. Sur un plan de travail qui ne craint rien, disposez la toile blanche bien à plat encore humide. L'idéal est de mettre sous la toile un drap usagé qui absorbera le surplus de peinture.

Avec les pinceaux plats et à main levée, appliquez les couleurs en bandes alternées, dans le sens de la longueur. Sur les côtés des bandes, les couleurs doivent se fondre l'une dans l'autre.

Si vous devez assembler deux lés, veillez à ce que la dernière couleur du premier lé, le long de la lisière de la toile, soit différente de la première couleur du second lé qui se trouve, elle aussi, le long de la lisière.

Que vous assembliez ou non les lés ensemble par la suite, la première et la dernière bande doivent être légèrement plus larges que les autres, compte tenu des ourlets des côtés.

Avant que le tissu ne soit complètement sec, repassez-le, avec un fer réglé sur coton, pour fixer les couleurs. Procédez méthodiquement pour ne pas risquer d'oublier certains endroits.

Reportez-vous aux pages pratiques en début d'ouvrage pour connaître les différents plissés que vous pourrez obtenir.

Si vous devez assembler deux ou plusieurs lés, pliez le long de chacune des lisières sur 3 centimètres environ et marquez le pli au fer à repasser. Epinglez, faufilez et piquez les lés ensemble. Repassez sur l'envers pour ouvrir les coutures.

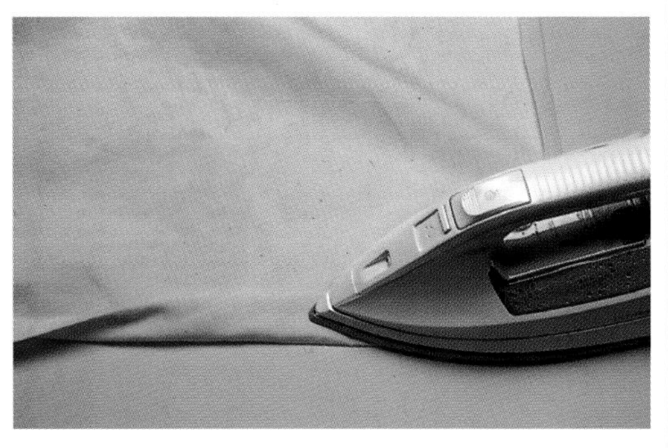

Pliez également, sur 3 centimètres environ, les lisières de chacun des côtés du rideau, marquez bien le pli au fer et piquez-les. Si la lisière du tissu n'est pas nette, faites un double rentré, en pliant deux fois le tissu sur lui-même, de chaque côté.

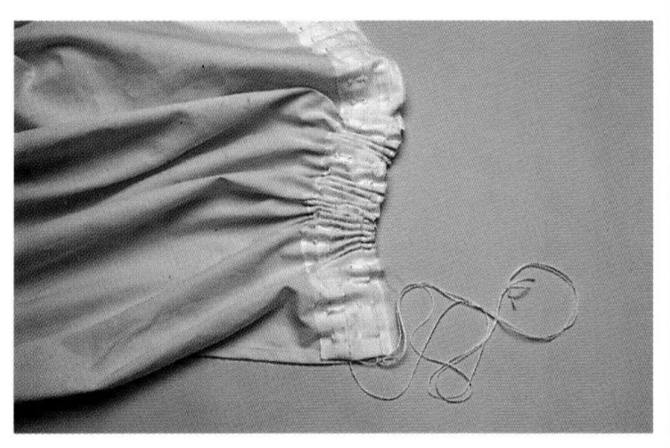

Faites un rentré de 5 centimètres en haut et sur l'envers du rideau. Marquez le pli au fer à repasser, puis posez la Ruflette à 2 centimètres du bord du rentré, en veillant à mettre les fils de la Ruflette contre le tissu. A chaque extrémité, repliez la Ruflette sur 2 ou 3 centimètres, puis piquez sur toute la longueur, en haut et en bas. Ne piquez pas sur les côtés, de façon à pouvoir ensuite tirer les fils pour froncer le rideau.

En bas du rideau, faites un rentré de 2 centimètres environ et marquez le pli au fer à repasser. Enfilez quelques crochets sur la Ruflette et suspendez le rideau à la tringle. Évaluez l'ourlet, puis épinglez le tissu. Retirez le rideau de la tringle. Faufilez et piquez l'ourlet. Si la fenêtre est très grande, faites un retour d'ourlet qui remonte assez haut, 20 centimètres environ, sinon faites un retour d'ourlet de 3 ou 4 centimètres.

Décalquez la frise de liserons et reportez-la sur le morceau de carton fin. Evidez l'intérieur des motifs avec un cutter pivotant.

Commencez par la frise verticale, que vous placerez à 10 centimètres du bord du rideau. Vaporisez un léger film de colle en bombe repositionnable sur l'envers du pochoir et appliquez-le sur le rideau.
Mettez très peu de peinture vert émeraude sur une des brosses et tamponnez d'une main légère les zones figurant les tiges.
De la même manière, pochez les fleurs avec la peinture ocre rouge. Retirez délicatement le pochoir, puis positionnez-le pour faire le motif voisin. Procédez de la même façon sur toute la longueur du rideau, en alternant, pour les fleurs, l'ocre rouge, le rose Bengale et le jaune citron.

Répétez les mêmes opérations pour faire la frise horizontale en bas du rideau.
Placez le premier motif à l'aplomb du dernier motif de la frise verticale, afin de former l'angle.

Laissez sécher pendant vingt-quatre heures, puis repassez plusieurs fois à fer très chaud, pour bien fixer les couleurs.
Le rideau pourra ainsi être lavé sans problème à 40 °C.

Pour réussir vos pochoirs, mettez très peu de peinture sur la brosse et n'ajoutez surtout pas d'eau à la peinture.

L'embrasse de rideau

LES FOURNITURES NÉCESSAIRES

- 40 centimètres de toile blanche épaisse en 1,40 m de largeur. Si les rideaux sont volumineux, optez pour un tissu plus large. Pour calculer les dimensions, sachez que le fait de torsader les embrasses diminue leur longueur de 20 centimètres par mètre de torsade.
- Une bobine de fil jaune pâle.
- Deux flacons de peinture Décotissu, un jaune d'or et un écarlate, et un pinceau plat.
- Du papier-calque, un crayon de papier et du carton fin pour les pochoirs.
- Un cutter pivotant et de la colle en bombe repositionnable.
- De la peinture pour tissu Pébéo Sétacolor, vert émeraude, ocre rouge, rose Bengale et jaune citron, et quatre brosses à pocher.
- Deux petits anneaux et de la fibre synthétique de rembourrage.

Si vous ne vous sentez pas sûre de vous pour faire la frise au pochoir bien droite, tracez, à la craie de couturière, deux lignes parallèles entre lesquelles vous ferez glisser le pochoir. Si vous ne disposez pas de craie de couturière, piquez des épingles qui vous serviront de repères chaque fois que vous déplacerez votre pochoir.

Dans la toile blanche, coupez deux bandes de 20 centimètres de largeur dans le sens de la longueur. Mouillez-les et essorez-les : il faut que le tissu soit humide pour recevoir la couleur de fond.

Dans deux récipients contenant chacun 2 litres d'eau, diluez respectivement deux bouchons de peinture jaune d'or et deux bouchons de peinture écarlate. Sur un plan de travail qui ne craint rien, disposez les bandes de toile blanche bien à plat, en disposant en dessous un drap ou une serviette usagés.

Avec le pinceau plat, appliquez l'écarlate sur une des bandes. Rincez bien le pinceau et appliquez le jaune d'or sur l'autre bande. Avant que le tissu ne soit complètement sec, repassez-le avec un fer réglé sur coton, pour fixer la couleur.

Pliez chacune des bandes en deux, endroit contre endroit, et fermez-les en piquant sur toute leur longueur, à 1 centimètre du bord environ.
Retournez les bandes sur l'endroit et repassez-les de manière que la couture se situe au milieu de l'une des deux faces.

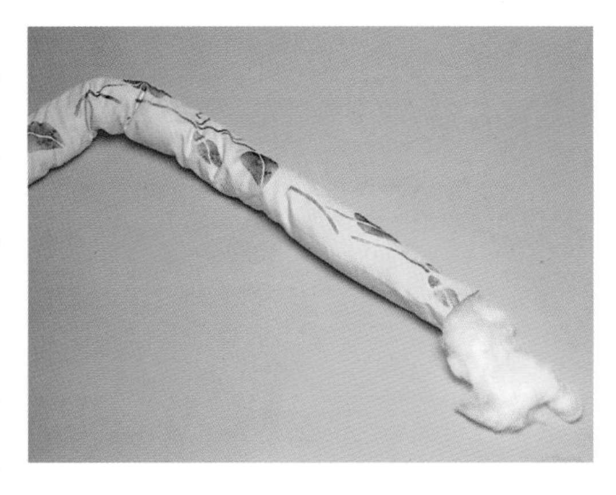

En suivant la méthode et les conseils de la page précédente, pochez le motif sur toute la longueur de chaque bande. La largeur n'étant pas suffisante pour l'ensemble de la frise, n'utilisez que les petites feuilles et les liserons fermés. Laissez sécher et repassez.

Faites un petit rentré à l'une des extrémités de la bande et piquez pour la fermer. Remplissez l'intérieur pour obtenir un boudin. Ne bourrez pas trop, afin qu'il reste souple. Piquez l'autre extrémité pour la fermer.

Assemblez les deux boudins par une de leurs extrémités, motifs sur le dessus, en les cousant l'une à l'autre à la main avec quelques points solides.

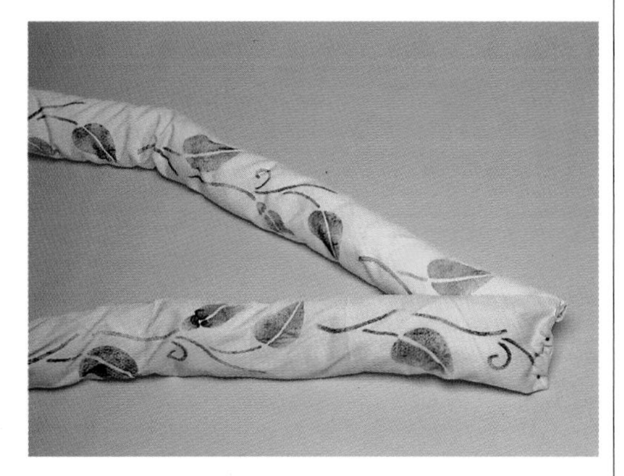

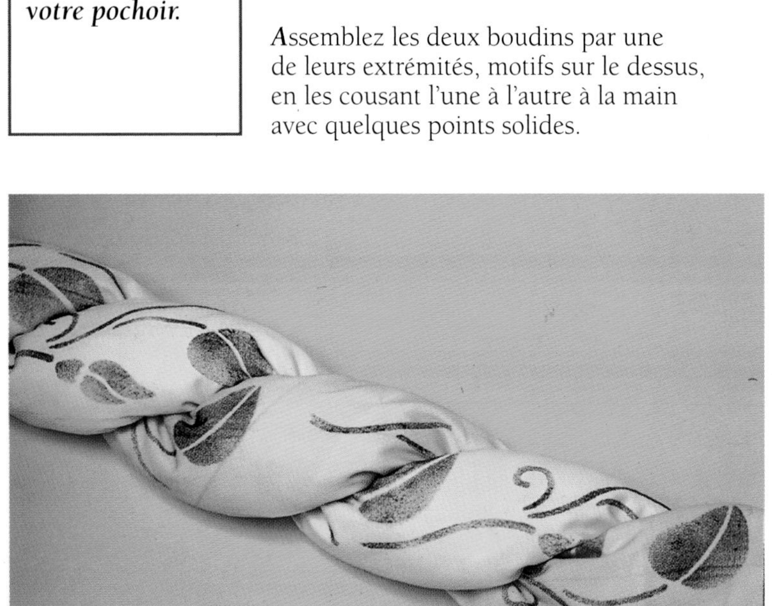

Torsadez ensemble les deux boudins sur toute la longueur, en les tournant de temps en temps sur eux-mêmes pour que les motifs restent apparents.

A chacune des extrémités de l'embrasse, et au milieu, cousez solidement un anneau, qui vous permettra de l'accrocher au mur.

Un grand classique

Un ravissant abat-jour juponné pour personnaliser votre lampes.

LES FOURNITURES NÉCESSAIRES

- Une carcasse métallique « Empire » avec un col.
- Du tissu imprimé. Pour calculer la longueur de tissu nécessaire, mesurez 2 fois la circonférence du cercle de base de la carcasse, plus 2 centimètres. Pour la largeur, 2 fois la hauteur de la carcasse, plus 3 centimètres (pour que le jupon dépasse de la carcasse), plus 2 fois la hauteur du col, plus 1,5 cm (pour que le volant dépasse du haut de la carcasse), plus 3 centimètres pour les coutures, plus 3 centimètres pour pouvoir découper une petite bande nécessaire aux finitions.
- De la doublure : pour la longueur, 1 fois la circonférence du cercle de base de la carcasse, plus 3 centimètres. Pour la largeur, 2 fois la hauteur de la carcasse, plus 2 fois la hauteur du col, plus 3 centimètres pour les coutures.
- Du ruban extra-fort : 2 fois la circonférence du cercle de base de la carcasse, plus 4 fois la circonférence du haut de la carcasse.
- 30 centimètres d'élastique rond et fin et une bobine de fil assortie au tissu et à la doublure.
- Un pinceau, de la colle à tissu et une pince à linge.
- 2 fois 1 mètre de ruban de couleurs différentes pour les finitions.

La pose de la doublure

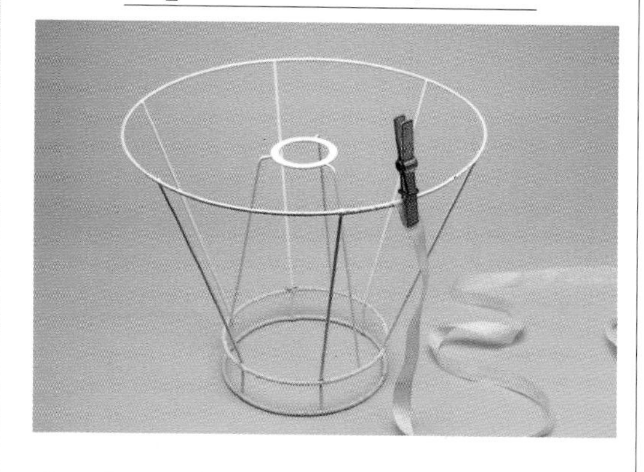

Avec l'extra-fort, embobinez les trois cercles de la carcasse — la base et les deux cercles formant le col. Cette opération vous permettra ensuite de coudre la doublure et le tissu en piquant dans l'extra-fort.
Mettez un petit point de colle sur la carcasse au point de départ et utilisez une pince à linge pour maintenir en place l'extrémité de l'extra-fort.
Enroulez bien serré, en faisant se chevaucher les bords de l'extra-fort à chaque tour.
Veillez à éviter la formation de plis.

La méthode de calcul des métrages nécessaires donnée ci-dessus permet de réaliser ce style d'abat-jour pour toutes les dimensions de carcasses, pourvu qu'elles aient un col — un double cercle supérieur. Les explications données ici ne valent que si vous avez taillé doublure et tissu aux dimensions exactes.

Passez un fil de fronce sur l'une des longueurs de la doublure, sans trop tirer sur ce fil pour l'instant.
Posez la carcasse sur sa base et présentez la doublure, côté fronces, sur la base du col.
Epinglez la doublure sur le col, au niveau de chacune des branches de la carcasse, en la répartissant régulièrement tout autour.
Lorsque vous avez fait le tour complet de la carcasse, finissez par un rentré de 1,5 cm, sur toute la hauteur, que vous faites

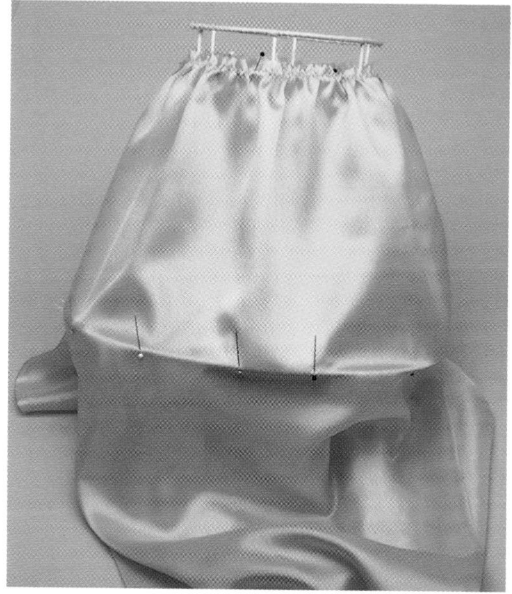

passer sous l'autre extrémité de la doublure afin d'obtenir une finition impeccable.
Epinglez la doublure sur le cercle de base de la carcasse.

Tirez sur le fil de fronce du haut de la doublure, puis épinglez les fronces ainsi obtenues sur la base du col, en les répartissant régulièrement.
Cousez les fronces à points serrés, en piquant dans l'extra-fort.

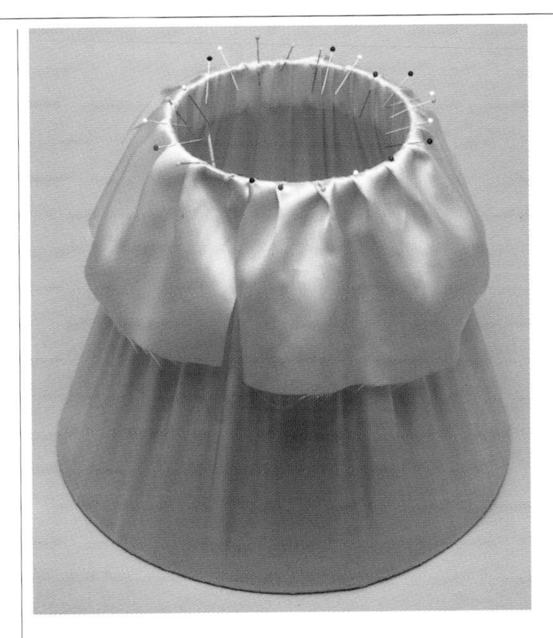

Ramenez le reste de la doublure vers l'intérieur de la carcasse, en remontant vers le col.
Au niveau de chacune des branches, fendez la doublure de manière à pouvoir la faire passer de part et d'autre de ces dernières sans que cela ne force ni ne crée de faux plis.
Epinglez la doublure, à l'intérieur de la carcasse, de chaque côté de chacune des branches, en la répartissant régulièrement et en respectant le droit fil.

Formez des plis plats et réguliers avec la doublure flottante entre chacune des branches.
Epinglez chacun de ces plis sur le cercle supérieur de la carcasse, en piquant dans l'extra-fort. La doublure doit être bien tendue entre chaque branche et les plis solidement épinglés.

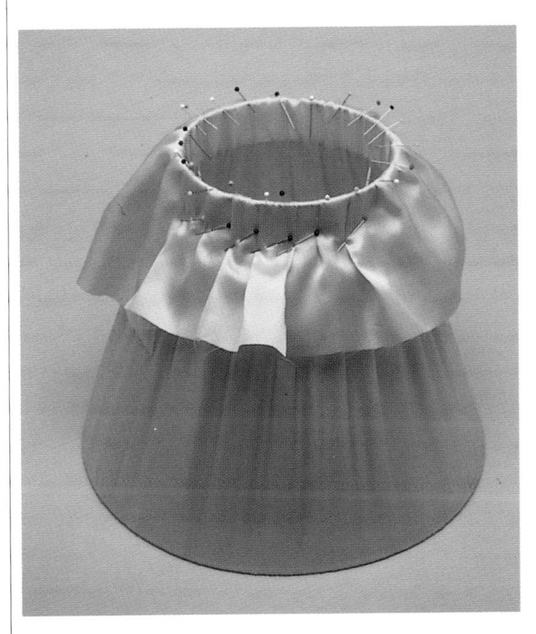

Rabattez un à un les plis plats sur l'extérieur de la carcasse, en amenant la doublure jusque sur la base du col.
Prenez les plis comme ils se présentent et respectez le plus possible le droit fil de la doublure.
Tirez fortement sur la doublure d'une main et épinglez chacun des plis de l'autre, en piquant dans l'extra-fort.

Pour choisir le coloris de la doublure, veillez à ce qu'elle se marie avec une des couleurs dominantes du tissu imprimé. Qu'elle soit d'un ton clair ou foncé n'a pas d'importance. En effet, le tissu imprimé étant utilisé en double, la lumière passe de toute façon par-dessus et par-dessous l'abat-jour, et non à travers.

Enlevez une première épingle et commencez à coudre à petits points serrés en piquant dans l'extra-fort de la base du col.
Laissez le nœud de l'extrémité de l'aiguillée sur l'extérieur, qui sera recouvert, et non sur l'intérieur de la carcasse.
N'hésitez pas à toujours tirer fortement sur la doublure d'une main, et cousez de l'autre.
Progressez ainsi tout autour de la carcasse en enlevant les épingles au fur et à mesure que vous avancez dans la couture.
Lorsqu'une aiguillée est terminée, arrêtez solidement le fil, toujours sur l'extérieur, avant d'en commencer une nouvelle.
Lorsque vous avez terminé, coupez l'excédent de doublure tout autour de la base du col, à 5 millimètres environ de la couture.

La *réalisation du jupon*

La hauteur de la carcasse du modèle photographié ici est de 24 centimètres, col compris. Pour un abat-jour de plus de 40 centimètres, la partie dépassante du jupon devra être de 5 centimètres au moins.

Pliez le tissu en deux dans le sens de la hauteur, endroit contre endroit, et fermez de chaque côté par une piqûre.
Retournez le tissu, envers contre envers.
Vous obtenez ainsi un rectangle ouvert sur un de ses grands côtés, plié sur l'autre et cousu sur chacun des petits côtés.
Sur le grand côté qui est ouvert, faites un rentré de 1 centimètre sur chacune des deux épaisseurs du tissu. Aplatissez ce rentré au fer à repasser.

Sur la face du tissu qui sera l'endroit de l'abat-jour, marquez, avec plusieurs épingles, des repères à une hauteur qui corresponde à la pente de la carcasse, plus 3 centimètres pour le dépassement du jupon en bas de la carcasse. Si vous avez prévu un dépassement supérieur à 3 centimètres, faites attention à ne pas vous tromper.
Prenez cette mesure en partant du côté plié du rectangle de tissu, et non du côté qui est encore ouvert.

Retournez le tissu sur l'autre face, celle qui sera l'envers de l'abat-jour, et pliez en deux, dans le sens de la longueur, la bande de tissu qui se trouve au-dessus du repère marqué avec l'épingle.
Faites correspondre le bord de cette bande avec les épingles de repère que vous avez mises en place à l'étape précédente, puis marquez le pli au fer à repasser.

Faufilez le long du bord extérieur de la bande de tissu que vous venez de replier, en laissant, à chacune des extrémités, une ouverture de 2 centimètres qui permettra de passer l'élastique pour le fronçage.

A 2 centimètres au-dessus de ce premier faufil, faites un second faufil, tout du long cette fois-ci.

Si vous faites un jupon dépassant de plus de 3 centimètres, n'oubliez pas d'en tenir compte dans vos mesures.

Faites deux piqûres parallèles en suivant les faufils.
N'oubliez pas de laisser les deux petites ouvertures de 2 centimètres environ pour le passage de l'élastique, ouvertures que vous avez signalées avec le premier faufil.
N'oubliez pas non plus de mettre du fil assorti à la couleur du tissu dans la canette, puisque la piqûre du dessous se trouvera sur la face visible de l'abat-jour.
Repassez soigneusement le tissu pour bien aplatir les coutures.

Enfilez l'élastique sur une grosse aiguille ou une épingle de nourrice et faites-le coulisser tout du long entre les deux piqûres du tissu.

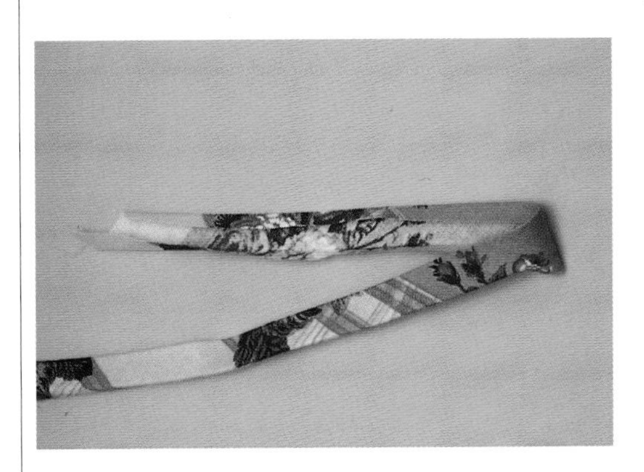

Dans le reste du tissu, découpez une petite bande de 3 centimètres de longueur sur 50 centimètres de largeur. Coupez les extrémités en biais. Faites un rentré de 5 millimètres sur les deux longueurs et marquez les plis au fer à repasser. Badigeonnez l'envers de colle et fixez la bande sur la couture, à la base du col. Fermez en collant les extrémités l'une sur l'autre.

Superposez les deux morceaux de ruban et faites un joli nœud. Collez ce nœud sur la petite bande de tissu. Pressez fortement le temps que la colle prenne. Découpez les pans des rubans en biais, afin qu'ils ne retombent qu'à mi-hauteur de l'abat-jour.

Posez le jupon sur la carcasse en plaçant les fronces sur la base du col. Serrez l'élastique pour ajuster le jupon, puis fermez-le avec plusieurs nœuds solides les uns sur les autres. Coupez le surplus d'élastique et cachez-le sous le tissu.

Avec un petit pinceau fin, mettez un peu de colle sur tout le pourtour du cercle correspondant à la base du col. Pour ce faire, écartez, sans trop tirer, le jupon, puis remettez-le en place au fur et à mesure sur le filet de colle.

Faites attention, lorsque vous collez définitivement le jupon en place, qu'il y ait bien 1 centimètre qui dépasse régulièrement tout autour du dessus de la carcasse.

Ce collage n'est pas absolument indispensable, mais il assure une meilleure tenue de l'abat-jour dans le temps.

Un radiateur bayadère

Une idée toute simple et très astucieuse pour transformer un radiateur, souvent encombrant et peu décoratif, en une amusante étagère.

Faites un rentré de 1 centimètre environ tout autour du tissu uni et marquez les plis au fer à repasser.

Posez la planche sur l'envers du tissu. Agrafez ce dernier en commençant dans le sens de la largeur, puis faites l'autre côté et, enfin, agrafez les deux longueurs. Veillez à bien tendre le tissu au fur et à mesure que vous l'agrafez, afin qu'il n'y ait pas de plis.

Epinglez les bandes terminées sur le bord de la planche, en les espaçant de 2 centimètres environ, et agrafez-les. Collez le galon sur les agrafes, sur toute la longueur de la planche, en faisant un petit rentré de chaque côté.

Placez le cache-radiateur terminé sur le radiateur et glissez la tringle en bois dans les boucles du bas des bandes pour lester l'ensemble.

Pour obtenir des angles nets, coupez le tissu dépassant du rabat fait dans la largeur, en vous arrêtant 2 centimètres avant le coin de la planche. Marquez un pli bien droit, parallèle à la longueur de la planche. Rabattez le tissu en tirant fort dessus, en veillant à ne pas le déchirer, puis agrafez.

Calculez le nombre de bandes de toile de jute nécessaire et coupez-les en fonction de la hauteur du radiateur, en ajoutant 14 centimètres pour chacune.

Posez une première bande de toile de jute à plat et marquez un repère, avec une épingle, à 21 centimètres de l'une des extrémités.

Rabattez cette extrémité de 2,5 cm, marquez le pli au fer, puis repliez encore jusqu'à l'épingle, afin de former un passant. Faites une double piqûre à la machine. Renouvelez l'opération avec chaque bande de toile de jute restante.

Les bandes de toile de jute existent dans différents coloris, et en différentes largeurs. Si vous décidez d'utiliser plusieurs couleurs, il est préférable de les répartir de façon régulière.

Si votre radiateur est très étroit, fixez le cache-radiateur avec des petites équerres vissées dans la planche et dans le mur.

LES FOURNITURES NÉCESSAIRES

- 1 mètre de tissu uni en 1,40 m ou en 1,60 m de largeur, selon la longueur du radiateur. Coupez un rectangle en prévoyant 30 centimètres supplémentaires, dans le sens de la longueur et dans le sens de la largeur, pour les rabats.
- Des bandes de toile de jute de différentes couleurs. Si vous devez cacher un radiateur encombrant, prévoyez, comme ici, des bandes assez larges, de 63 millimètres.
- Du galon, d'une longueur équivalente au périmètre de la planche, et de la colle à tissu.
- Une planche d'aggloméré de 16 millimètres d'épaisseur. Faites-la couper à la dimension du dessus du radiateur, en prévoyant de recouvrir le thermostat, plus 2 centimètres à chaque extrémité et 2 centimètres devant.
- Une tringle en bois de la longueur du radiateur de 2,5 cm de diamètre.
- Une agrafeuse et des agrafes.

Œuvre d'art

C'est la version moderne
des grandes tapisseries d'autrefois
qui habillaient chaleureusement les murs.

La tenture murale

Faites un ourlet de 5 centimètres autour de la toile de lin en marquant préalablement le pli au fer à repasser.

Posez la toile de lin bien à plat, ourlet sur le dessus.

Coupez cinq bandes de galon vert et cinq bandes de couleur naturelle à bords rouges de 1,55 m chacune.
A chacune de leurs extrémités, faites un rentré de 2,5 cm de large, sur l'envers.
Marquez fortement les plis au fer à repasser.

Répartissez ces bandes horizontalement sur la toile de lin, en commençant par une bande verte en bas, que vous épinglez au ras du bord de la toile de lin. Puis alternez les couleurs, toujours en épinglant soigneusement les bandes, pour qu'elles restent bien en place.

En suivant exactement le même principe, vous pouvez réaliser une tenture murale avec des bandes de tissu que vous ourlez de chaque côté avant de les assembler.

LES FOURNITURES NÉCESSAIRES

- 1,30 m de toile de lin en 1,60 m de largeur.
- Du galon à broder DMC de 12 centimètres de large dans quatre coloris différents. Pour le modèle photographié ici, 8 mètres de vert et 8 mètres de couleur naturelle à bords rouges, pour le montage horizontal de la tenture, ainsi que 6 mètres de rouge et 6 mètres de couleur naturelle à bords verts pour le montage vertical.
- Trois bobines de fil, une verte, une rouge et une de couleur naturelle.
- 11,50 m de croquet d'une couleur assortie aux galons.
- 1 mètre de cordonnet.
- Une tringle en bois de 1,50 m de longueur et de 2,5 cm de diamètre.
- Une vrille ou une perceuse équipée d'un foret à bois.
- Une agrafeuse et des agrafes.

Pour les bandes verticales, coupez quatre galons rouges et quatre galons de couleur naturelle à bords verts de 1,50 m chacun. Sur une seule de leurs extrémités, faites un rentré de 2,5 cm de large et marquez fortement les plis au fer à repasser.

Tressez ces galons entre les bandes horizontales, en plaçant le rentré du même côté. Commencez par la gauche de l'ouvrage, à 5 centimètres du bord, avec un galon de couleur naturelle. Celui-ci est tressé de manière régulière avec les bandes horizontales, mais ce n'est pas toujours le cas pour les suivants : reportez-vous à la grande photo de la page précédente. N'oubliez pas, toutes les deux bandes, de laisser un espace équivalent à la largeur d'un galon.

En plus de son aspect décoratif, cette tenture est également un excellent isolant que vous pourrez accrocher sur un mur orienté au nord. Pour renforcer l'isolation, vous pouvez en outre ajouter une épaisseur de molleton entre la toile de fond et le tissage des bandes.

Pour l'accrochage de la tenture, vous pouvez aussi utiliser une tringle à rideaux avec des embouts décoratifs.

Coupez sept morceaux de croquet de 1,60 m de long. Répartissez-les sur les bandes rouges et les bandes vertes, sans les centrer et sans forcément suivre le même tressage.

Lorsque vous êtes satisfaite du résultat, faites un petit point tous les 7 ou 8 centimètres pour fixer ces galons sur les bandes. Glissez leurs extrémités entre les bandes et la toile de lin.

Piquez les bandes une à une sur toute leur longueur, ainsi qu'à chaque extrémité. Utilisez du fil de couleur naturelle pour les canettes et alternez les piqûres avec du fil rouge et du fil vert pour les bandes.

Repassez l'endroit et l'envers de la tenture à fer très chaud et glissez-la de nouveau sur la tringle.
Mettez en place le cordonnet de suspension et faites un nœud à chaque extrémité de ce dernier.

A l'arrière de chacun des passants, posez trois ou quatre agrafes sur la tringle, cela évitera tout risque de glissement de la tenture.

Formez un passant de 12 centimètres en haut de chacune des bandes. Glissez l'extrémité sous la toile de lin et épinglez.

Enfilez la tringle en bois dans les passants, en la laissant dépasser de manière égale de chaque côté. Sur la tringle, tracez un repère au milieu du premier et du deuxième groupe de passants, ainsi qu'au milieu du troisième et du dernier groupe de passants.

Calez la tringle et, avec la perceuse, percez un trou sur chaque repère. Vérifiez que l'orifice est suffisamment grand pour que vous puissiez y passer le cordonnet de suspension.

Un abat-jour de charme

Un très joli modèle d'abat-jour pour tous les pieds de lampe en hauteur.

L'*abat-jour plissé*

Veillez à suivre le droit fil du tissu, aussi bien lorsque vous découpez le tissu nécessaire à la confection de l'abat-jour que lorsque vous le mettez en place sur la carcasse et que vous confectionnez les plis plats. Un autre facteur de réussite est aussi de toujours bien tendre le tissu. D'abord entre le cercle du haut et le cercle du bas de la carcasse, mais aussi lorsque vous formez les plis plats. N'hésitez pas à tirer, le tissu ne se déchirera pas.

LES FOURNITURES NÉCESSAIRES

- Une carcasse métallique de forme conique.
- Du tissu imprimé. Pour calculer la longueur de tissu nécessaire, mesurez la circonférence du cercle de base de la carcasse plus 2 centimètres. Pour la largeur, ajoutez 4 centimètres à la hauteur de la carcasse, plus suffisamment de tissu pour pouvoir découper des biais de 3 centimètres de largeur, l'un de la circonférence du cercle du haut de la carcasse, plus 3 centimètres, l'autre de la circonférence du cercle du bas de la carcasse, plus 3 centimètres.
- De la doublure : aux mêmes dimensions que le tissu imprimé, les biais en moins.
- Du ruban extra-fort : 2 fois la circonférence du cercle de base de la carcasse, plus 2 fois la circonférence du haut de la carcasse.
- Un pinceau, de la colle à tissu et une pince à linge.

Avec l'extra-fort, recouvrez les deux cercles de la carcasse. Mettez un petit point de colle sur la carcasse pour démarrer et maintenez l'extra-fort avec une pince à linge.
Faites tout le tour en faisant se chevaucher légèrement les bords de l'extra-fort.
Serrez bien et faites attention à ce qu'il n'y ait pas de gros plis.
Cet extra-fort vous permettra de coudre le tissu et la doublure sur la carcasse.

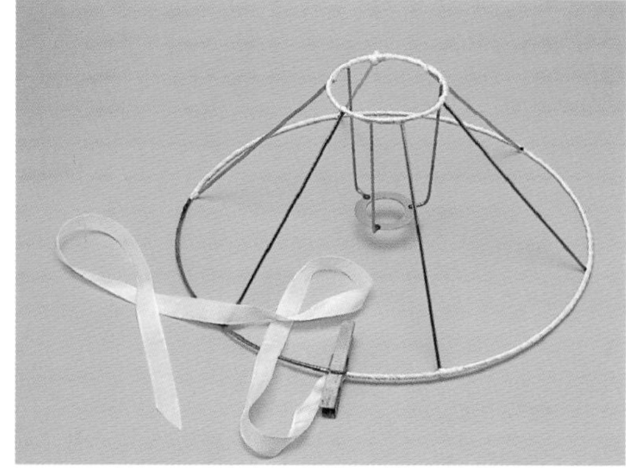

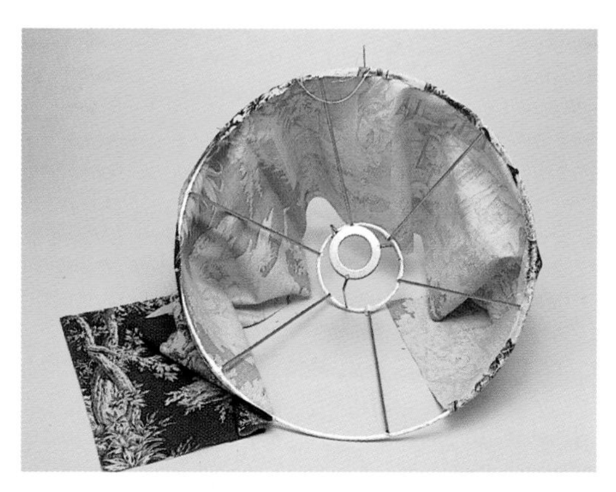

Posez la carcasse sur le flanc et épinglez le tissu imprimé sur le plus grand cercle.
Cousez solidement le tissu à points serrés en piquant dans l'extra-fort. Arrêtez vos aiguillées en faisant plusieurs points l'un par-dessus l'autre.
Finissez le tour en faisant un rentré de 1,5 cm que vous appliquez par-dessus le début du tissu.
Reposez la carcasse à l'endroit.

Epinglez l'autre côté du tissu au sommet de la carcasse, au niveau de chacune des branches.
Puis, en commençant à la jointure du tissu, formez des plis plats avec le tissu flottant entre chaque branche.
Epinglez chaque pli au fur et à mesure.

Epinglez la doublure à l'intérieur de la carcasse sur le cercle le plus grand, envers de la doublure contre envers du tissu. Cousez à points serrés en piquant à la fois dans l'extra-fort et dans le tissu. Finissez le tour en faisant un petit rentré que vous appliquez sur le début de la doublure.

Répartissez régulièrement la doublure à l'intérieur de la carcasse, puis fendez-la dans le prolongement de chacune des branches, sur 4 centimètres environ.

Répartissez la doublure entre les branches, en formant des plis plats et réguliers. Epinglez solidement sur le cercle supérieur au fur et à mesure de la formation des plis. Cousez ensuite à points serrés, comme vous l'avez fait pour le tissu, et découpez l'excédent de doublure au ras des points.

Dans le tissu imprimé restant, découpez deux bandes en biais en suivant les instructions données dans les fournitures pour les dimensions. Dans la longueur, faites un rentré de chaque côté et aplatissez les plis au fer à repasser. Encollez chaque biais sur l'envers et posez-le à cheval sur chacun des cercles, en tendant légèrement. Le tour fini, repliez l'extrémité et collez-la sur l'autre extrémité.

Avec du fil en double, cousez le tissu à points serrés en piquant dans l'extra-fort. Retirez les épingles au fur et à mesure et continuez de bien tendre le tissu en cousant. Découpez l'excédent de tissu à 2 millimètres des points de couture.

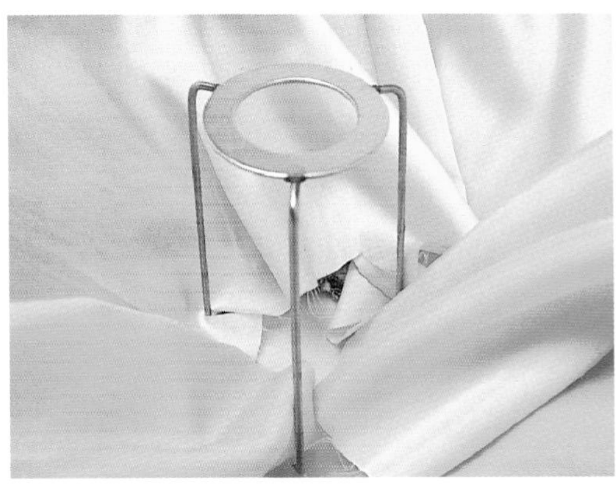

Retournez l'abat-jour, et rabattez la doublure de l'intérieur par-dessus le petit cercle. Epinglez au niveau de chacune des branches, en veillant à ce que les deux bords de la doublure se chevauchent bien.

Pour réaliser vous-même un biais, reportez-vous aux pages pratiques, en début d'ouvrage. Si vous n'avez pas assez de tissu pour y faire le biais, vous pouvez aussi utiliser un biais tout fait, soit uni, soit imprimé, si le tissu est uni. Un biais dans un tissu différent mais coordonné au tissu de l'abat-jour, ou encore dans un tissu identique mais d'un coloris différent, sera également du plus bel effet.

Huis clos

Ambiance douillette assurée avec cette porte capitonnée, qui est aussi un bon moyen pour rajeunir une porte abîmée.

La porte capitonnée

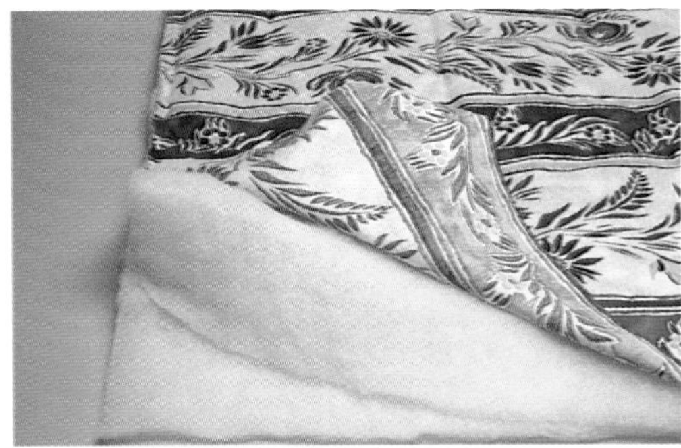

Prenez les dimensions de la porte et, avec une craie de couturière, reportez-les une fois sur le tissu de coton et deux fois sur le molleton.

Coupez chacune des pièces sur le tracé de craie et superposez-les, endroit du tissu sur le dessus.

Vous pourrez installer cette porte capitonnée uniquement sur un battant s'ouvrant vers l'intérieur de la pièce. L'épaisseur du tissu et la baguette de finition empêcheraient une bonne fermeture dans l'autre sens.

LES FOURNITURES NÉCESSAIRES

- 2 mètres de tissu de coton épais en 1,40 m de largeur.
- 4 mètres de molleton, en 1,40 m de largeur, qui sera utilisé en double épaisseur.
- Une quinzaine de gros boutons assortis au tissu de coton.
- Trois bobines de fil, une assortie au tissu, une assortie aux boutons et une autre de couleur vive pour les faufils.
- De la baguette de bois, 5 à 6 mètres, selon la taille de la porte et éventuellement de la peinture ou de la teinture pour bois.
- Une boîte à onglets et une scie à onglets.
- Une agrafeuse-cloueuse, des agrafes et des clous.

Selon la poignée, la finition autour de cette dernière sera différente. S'il s'agit d'une poignée qui se dévisse, enlevez-la et faites un simple trou dans le tissu pour pouvoir y replacer le mécanisme de la poignée. S'il s'agit d'une poignée fixe, faites une fente horizontale dans le tissu. Vous couperez, ajusterez et agraferez le tissu autour de la poignée au moment de clouer la baguette.

Epinglez les trois épaisseurs ensemble, puis faufilez tout autour avec du fil de couleur vive, à 1 centimètre du bord environ.

Disposez les boutons en décalant les rangées les unes par rapport aux autres et cousez-les solidement en prenant les trois épaisseurs.

Piquez ensuite tout autour des trois épaisseurs de tissu, à 1 centimètre du bord, en suivant le faufil. Pendant cette opération, veillez à ce que les trois épaisseurs soient bien à plat.
Faites une seconde couture, à 2 millimètres de la première, pour la renforcer.

Sortez la porte de ses gonds et posez-la sur le sol.
Si la poignée de la porte peut être dévissée, déposez-la (voir encadré ci-contre).
Mettez en place les trois épaisseurs de tissu sur la porte.
Si la poignée de la porte est fixe, faites une fente horizontale dans le tissu.
Fixez le tissu sur la porte, en l'agrafant tout autour, tous les 5 centimètres environ.
Veillez à ce que les différentes épaisseurs de tissu restent toujours bien tendues, la réussite en dépend.

Coupez les baguettes aux dimensions de la la porte, avec la scie et la boîte à onglets.
Si vous le souhaitez, vous pouvez les teinter ou les peindre. Dans ce cas, laissez-les bien sécher avant de les poser.
Fixez-les sur la porte avec des petits clous adaptés à l'agrafeuse-cloueuse.
Pour une finition parfaite, vous pouvez mettre un peu d'enduit sur les quatre coins, laisser sécher, poncer légèrement et faire un petit raccord de peinture ou de teinture.

Si la poignée de la porte est fixe, coupez le tissu au ras du mécanisme de la poignée, agrafez-le et clouez tout autour de petits morceaux de baguette coupés en biais.
Si vous avez dévissé la poignée, remettez-la en place.

Pour terminer, posez une agrafe sous chaque bouton, afin d'accentuer le volume du capiton.

ALPHABET POUR LES DRAPS
CHIFFRÉS DE LA PAGE 42
(suite de l'alphabet page 95)

Lumière tamisée

Un ravissant store à volants pour fenêtres et croisées.

L'assemblage des tissus

LES FOURNITURES NÉCESSAIRES

Pour réaliser ce store, vous aurez besoin de quatre tissus différents. Il est préférable que vous employiez des tissus de texture identique ou, mieux encore, un même tissu existant en divers coordonnés, unis et à motifs. Le modèle photographié ici (voir page 95) mesure, terminé, 95 centimètres de largeur et 1,40 m de hauteur. Il a été réalisé avec des tissus madras en 1,60 m de largeur.

- 50 centimètres de tissu uni orange et 25 centimètres de tissu uni vert, 1 mètre de tissu écossais orange et 60 centimètres de tissu écossais bleu. Ces mesures sont bien entendu données à titre indicatif, vous devrez les adapter aux dimensions de la fenêtre.
- Deux bobines de fil, assorties aux tissus unis.
- Deux tasseaux de bois de 2,8 cm de largeur sur 1 centimètre d'épaisseur. Leur longueur dépend de la largeur de la fenêtre.
- Du coton mouliné DMC n° 5 et une aiguille à gros chas.
- Une vrille fine pour percer des avant-trous dans les tasseaux.
- 13 mètres de cordelette de Nylon et six pitons à tige courte. Le diamètre des pitons doit permettre de recevoir et de laisser coulisser quatre épaisseurs de la cordelette que vous aurez choisie. Ayez donc cette cordelette avec vous lors du choix des pitons.
- Une longue règle et une grande équerre.

Aussi nette sur le devant que sur l'arrière, la couture anglaise est adaptée aux ouvrages dont les deux côtés doivent être impeccables.

Pour une compréhension simplifiée des explications qui vont suivre, les différents tissus sont énumérés par les coloris utilisés pour le modèle photographié page 95.
Dans chacun des trois tissus suivants, coupez un rectangle : de 55 centimètres de hauteur sur 1 mètre de largeur dans l'écossais orange, et de 45 centimètres de hauteur sur 1 mètre de largeur dans l'uni orange et dans l'écossais bleu.
Ces dimensions peuvent bien entendu varier en fonction des mesures de la fenêtre.
Pour que le store ait un tombé bien vertical et sans « vagues », ces trois rectangles doivent être parfaits ; vérifiez l'exactitude des angles à l'aide d'une équerre.

Sur l'envers du tissu uni orange, tracez à la craie de couturière, avec une grande règle, une ligne à 2,5 cm du bord sur une des longueurs.

Bien à plat sur une table, superposez, envers contre envers et bord à bord dans leur longueur, le tissu uni orange et le tissu écossais orange. Epinglez et piquez à 5 millimètres du bord. Retournez l'ouvrage endroit contre endroit, plié sur la couture que vous venez de faire, et aplatissez au fer.

Quelle que soit la taille du store que vous réalisez, prévoyez 5 centimètres de plus en largeur pour les ourlets des côtés.

Piquez les deux épaisseurs sur la ligne préalablement tracée sur le tissu uni. Vous obtenez ainsi la première couture anglaise qui recevra les brides de soutien de la cordelette sur l'envers du store. Toujours sur l'envers du tissu uni orange, et sur l'autre longueur, tracez une ligne bien parallèle à la couture que vous venez de faire, à 40 centimètres de celle-ci. Superposez, envers contre envers, le tissu écossais bleu et le tissu orange uni et faites une autre couture anglaise.

Aplatissez les deux coutures anglaises au fer à repasser en les rabattant vers le haut du store : l'écossais bleu sur l'uni orange et l'uni orange sur l'écossais orange.

Après l'assemblage des trois panneaux, vous allez réaliser les ourlets des côtés du store : repliez sur l'envers et aplatissez au fer à repasser une largeur de 1 centimètre sur les deux hauteurs de l'ouvrage. Repliez une seconde fois et aplatissez sur une largeur de 1,5 cm. Vous devez obtenir exactement la largeur de store terminée dont vous avez besoin, ici 95 centimètres. Epinglez afin que les ourlets restent bien en place. Piquez-les sur l'envers, en choisissant la bonne couleur du fil de canette. Si les tissus sont très différents, il peut être nécessaire que vous changiez de couleur en cours de couture.

Coupez toujours un tissu uni en suivant le droit fil. En revanche, si le tissu est écossais ou à motifs, il est préférable de suivre les lignes de couleur ou l'alignement des motifs, même s'ils ne correspondent pas au droit fil. Ainsi, votre ouvrage ne sera pas déséquilibré.

Pour faire le passant qui recevra le tasseau en haut du store, tracez une ligne bien parallèle sur l'endroit du panneau écossais orange, à 40 centimètres de la couture entre celui-ci et le panneau orange uni. Repliez le tissu le long de cette ligne, envers contre envers, et marquez le pli au fer à repasser. Vous obtenez un rabat d'environ 12,5 cm ; repliez-le en deux, sur 6 centimètres, sur l'envers. Ecrasez le pli au fer à repasser et épinglez. Enfin, piquez à 5 centimètres du bord, afin de former le passant.

Le *montage des volants*

Coupez, dans le tissu vert uni, une bande de 21 centimètres de largeur sur 1,50 m de longueur et dans le tissu écossais orange, une bande de 32 centimètres sur 1,50 m. Faites les ourlets sur les deux longueurs et à chacune des extrémités. Sur une des longueurs, à 5 millimètres du bord du tissu, passez un fil de fronce et froncez de manière à obtenir des volants de 95 centimètres de longueur chacun.

Coupez ensuite, dans le tissu écossais bleu, une bande de 11 centimètres sur 1 mètre. Cette bande s'intercalera entre le tissu orange uni et les deux volants. Repliez chacune des extrémités, sur l'envers, une première fois, puis une seconde, pour ramener la longueur de la bande à la largeur terminée du store, ici 95 centimètres. Aplatissez les plis au fer à repasser, épinglez puis ourlez.

Tracez ensuite une ligne bien parallèle sur l'envers du panneau de store écossais bleu, à 40 centimètres de la couture entre celui-ci et le panneau orange uni. Retournez le store sur l'endroit, bien à plat, et posez successivement, bord à bord et endroit contre endroit, sur le panneau écossais bleu, le volant vert, le volant écossais orange et la bande de tissu écossais bleu.
Epinglez ensemble ces quatre épaisseurs et faufilez-les.
Piquez soigneusement en suivant la ligne que vous avez tracée sur l'envers du panneau écossais bleu.
Aplatissez cette couture au fer à repasser, en rabattant les quatre épaisseurs sur le panneau écossais bleu.
Cette couture sera complètement invisible sur l'endroit du store.

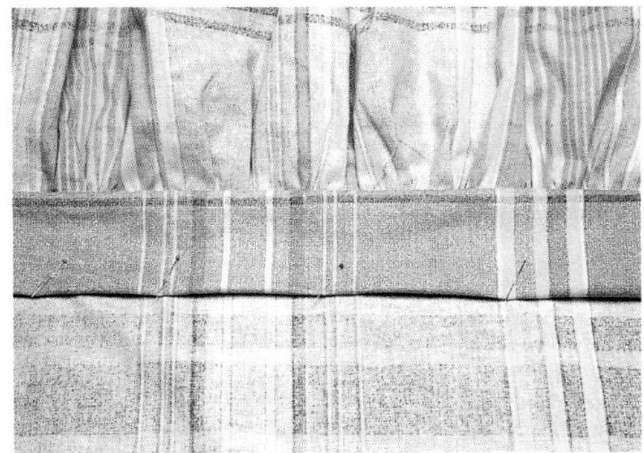

Lorsque les volants sont en place, rabattez la bande de tissu écossais bleu vers le haut, sur le panneau écossais bleu, de façon à dissimuler la couture. Aplatissez au fer à repasser. Faites un rentré sur l'autre longueur de cette bande, pour la ramener à 6 centimètres de largeur.
Epinglez, puis piquez sur toute la longueur, à 5 centimètres de la couture précédente, pour former le passant du second tasseau.

Pour réaliser un store uni et sans volants, prévoyez environ 25 centimètres en plus pour confectionner les passants en coutures anglaises, ainsi que les rabats.

La mise en place des fils

En haut du store, glissez un tasseau dans le passant prévu à cet effet, puis marquez légèrement au crayon l'emplacement de quatre pitons sur l'envers du store ; ils seront centrés dans la largeur du tasseau : les deux pitons situés aux extrémités seront placés à 2 centimètres des bords, et les deux autres à 30 centimètres environ des premiers. Si la largeur du store est plus importante que celle du modèle photographié ici, il peut être nécessaire que vous ajoutiez deux pitons supplémentaires.
Marquez également, sur la tranche supérieure du tasseau, l'emplacement des deux pitons qui serviront à suspendre le store, à 15 centimètres environ des extrémités.
Percez ces six avant-trous à l'aide de la vrille et vissez les pitons à travers le tissu.

Selon la forme de la fenêtre, vous devrez placer des pitons à angle droit permettant d'y accrocher le store soit dans le mur, soit dans le plafond. Faites bien attention à ce que l'ouverture de la fenêtre ne soit pas gênée par le système d'accrochage.

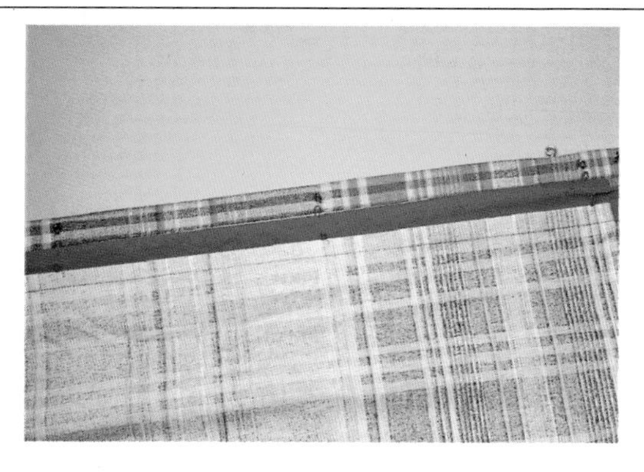

Posez le store à plat, envers visible, et repliez-le en accordéon pour amener les deux coutures anglaises et la bande écossais bleu de l'envers dans l'alignement du tasseau supérieur. En vous repérant sur les pitons, vous pourrez ainsi déterminer l'emplacement des brides dans lesquelles il faudra glisser les cordelettes. Piquez une épingle sur chaque repère. Veillez à ce que tous les repères soient parfaitement alignés à la verticale des pitons, afin d'assurer le bon fonctionnement du store.

Pour confectionner une bride, prenez une aiguillée de coton mouliné, faites-y un solide nœud. Piquez, à environ 2 millimètres du bord, dans le pli à l'emplacement répéré.
Formez une boucle de 1 centimètre de diamètre environ (pour maintenir la boucle à sa dimension, glissez-y un crayon, par exemple), puis enroulez quelques tours de l'aiguillée de coton à la base de cette boucle. Fermez par deux points arrière. Faites les douze brides de la même façon.

Glissez le second tasseau dans le passant prévu à cet effet, juste au-dessus des volants, dans la bande écossais bleu.
Coupez la cordelette de Nylon en quatre morceaux, de respectivement 3,50 m, 3,20 m, 2,90 m et 2,70 m. Brûlez les extrémités des cordelettes afin qu'elles ne s'effilochent pas.

Mettez le store à plat sur l'envers et fixez, par un nœud bien serré, l'une des extrémités de la cordelette la plus longue à la bride située en bas à gauche ; passez-la dans les deux autres brides, puis dans le piton placés à sa verticale. Glissez-la ensuite horizontalement dans les trois autres pitons pour qu'elle ressorte du côté droit, en haut du store. Procédez de la même façon avec les trois autres morceaux de cordelette : fixez celle de 3,20 m à la deuxième bride du bas en partant de la gauche, faites-la remonter jusqu'à son piton, puis passez-la horizontalement dans les deux pitons restants. Et ainsi de suite. Lorsque toutes les cordelettes ressortent alignées à droite, nouez-les ensemble à quelques centimètres du piton.

Prévoyez un crochet que vous fixerez au mur, derrière le store, pour y accrocher la cordelette qui permet de l'actionner.

Une fois que le système devant recevoir les deux pitons de suspension du store est en place, installez celui-ci. Ajustez la longueur des quatre cordelettes de manière à pouvoir les atteindre facilement store baissé, et qu'elles ne traînent pas par terre store levé. Coupez-les ensemble, et brûlez à nouveau les extrémités.

SUITE DE L'ALPHABET
POUR LES DRAPS CHIFFRÉS
DE LA PAGE 42
(début de l'alphabet page 89)

Adresses utiles

Les cotons à broder et les fournitures DMC sont disponibles dans toutes les merceries, dans les boutiques Imagine, les grands magasins, ainsi que dans les magasins Loisirs et Création :

PARIS
Centre commercial Passy Plaza
53, rue de Passy, 75016 PARIS
Tél. : 01 42 15 13 43

LYON
Centre commercial La Part-Dieu
17, rue du Docteur-Bouchut, 69003 LYON
Tél. : 04 78 60 05 89

LILLE
87, Centre commercial Euralille, 59777 LILLE
Tél. : 03 20 51 39 01

DMC Service consommateurs
13, rue Pfastatt, 68057 MULHOUSE
Tél. : 03 89 32 45 28

Vous trouverez un très grand choix de rubans, galons, croquets, dentelles, passepoils... dans les magasins RUBAN STORE :

PARIS
7, rue de Turbigo, 75001 PARIS
Tél. : 01 42 33 33 39

LYON
353, rue André-Philip, 69007 LYON
Tél. : 04 78 69 46 48

Pour la peinture sur tissus, adressez-vous au service consommateurs de PÉBÉO FRANCE :

GEMENOS
305, avenue du Pic-de-Bretagne, BP 106, 13881 GEMENOS Cedex
Tél. : 04 42 32 08 08

Les tissus de LA COTONNIÈRE D'ALSACE sont vendus à la boutique PAULE MARROT :

PARIS
98, rue de Rennes, 75006 PARIS
Tél. : 01 44 39 74 84
Autres points de vente : 03 89 21 55 55

Les abat-jour présentés dans cet ouvrage ont été réalisés par Marie-Laure MANTOUX.

Nous tenons à remercier tout particulièrement la famille DUCAMP pour son accueil chaleureux, ainsi que Mme Anne du MARTRAY pour son aide.

Conçu et réalisé par Copyright pour les Éditions Solar
Ouvrage collectif sous la direction de Frédérique Crestin-Billet
Coordination éditoriale : Nadège Deschildre
Illustrations : Jean-Luc Guérin
Mise en page : Sophie-Anne Sauvaigo